Pas pire

France Daigle

Pas pire

éditions d'acadie

L'éditeur désire remercier le Conseil des Arts du Canada et la Direction des arts du Nouveau-Brunswick de l'aide accordée à son programme de publication. L'éditeur reconnaît également l'aide financière du gouvernement du Canada par l'entremise du Programme d'aide au développement de l'industrie de l'édition pour ses activités d'édition.

L'auteure désire remercier le Conseil des Arts du Canada pour sa contribution financière à l'écriture de ce livre.

Données de catalogage avant publication (Canada)

Daigle, France
     Pas pire

ISBN 2-7600-0344-2

     I. Titre.

PS8557.A423P37 1998   C843'.54   C98-900190-3
PQ3919.2.D34P37 1998

Conception de la couverture : Claude Guy Gallant
Photo collage de la couverture : Rolande Bernard
Mise en pages : Charlette Robichaud
Photo de l'auteure : Marc Paulin

© Les Éditions d'Acadie, 1998
   C.P. 885
   Moncton, N.-B.
   E1C 8N8
   Canada

Première partie
Histoire de Steppette

1

Été venteux à Dieppe. Le ciel est d'un blanc uniforme, de cette blancheur opaque qui, l'hiver, annonce une chute de neige. Mais nous sommes bien en été, en plein cœur de juillet, et les arbres sont dans leurs feuilles, secouées, tordues dans tous les sens par ce vent qui vient de partout à la fois, du haut des airs comme du ras du sol, du côté du champ comme du côté de la ville, des deux bouts de la même grande rue, l'avenue Acadie. Ce vent avec bourrasques qui souffle sans accalmies depuis des jours brouille tout, et les cartes et les règles du jeu, jusqu'à nous faire oublier que nous sommes encore en été, à Dieppe. Des dizaines de fois j'ai repensé à ce vent-là, à cet été-là, où je me détachai des autres, qui mangeaient encore à table.

Je parle bien sûr du Dieppe d'avant l'annexion de Saint-Anselme, et presque même du Dieppe d'avant Lakeburn. Je parle du vieux Dieppe, du Dieppe Centre, c'est-à-dire de la paroisse Sainte-Thérèse, avec l'église Sainte-Thérèse longeant la rue Sainte-Thérèse, à côté de l'école Sainte-Thérèse. Je parle du Dieppe des champs et des marais tout autour, que nous brûlions systématiquement tous les printemps, de ces champs d'herbes hautes où se glissaient quelques couleuvres et une rivière, la Petitcodiac, qui traversait pour ainsi dire le fond de notre cour. Entre les maisons et la rivière, il n'y avait que divers états du champ. Tout près des maisons, il y avait les gazons et les terrains où nous jouions des jeux dont les règles faisaient l'unanimité. Puis, au-delà des jardins de légumes, des framboisiers et des quelques pommiers, il y avait le grand champ, le marais aux grandes herbes, territoire de nos jeux inventés, jeux qui se créaient la plupart du temps au fur et à mesure que l'après-midi avançait, herbes drues qui mugissaient au frottement de nos pantalons et de nos bottes.

Reflétant sans doute la nature et l'esprit des scientifiques qui les ont étudiés et décrits, les deltas comportent des aspects profondément humains : ils commencent par être embryonnaires, puis, lorsqu'ils émergent, ils deviennent enracinés. Dessinées, les six formes élémentaires de l'avancée du delta sur la mer, formes que l'on appelle *bouches*, ressemblent effectivement à des profils de bouche humaine. Les deltas ont aussi des bourrelets et des couches, s'allongent et s'épaississent. Certains ont des lobes, un front, des bras, une main ou des doigts. On leur attribue des modes d'existence, ils connaissent des ruptures et des accidents. Dans leurs emportements, certains vont jusqu'à tuer. D'autres changent doucement de lit, se subdivisent ou se recréent en sous-deltas qui, comme des enfants, sont tributaires de la capacité et de la compétence de ceux qui les ont formés. D'autres encore changent de route selon les circonstances, passent par-dessus, prennent des raccourcis, se défont de membres excessifs. Les deltas aiment aussi jouer : ils raffolent du sable et des glissements et barbotent inlassablement dans les étangs et les cuvettes. Ils courent entre les berges en semant roseaux et palétuviers, sculptent des flèches, exposent des tourbières. Souvent plus étendus que profonds, leurs méandres, marais et marécages sinueux inondent et se déversent pourtant. Certains débordements ouvrent en riant de nouveaux lits chaque printemps, mettant ici et là des processus en jeu, bafouant les modes d'échange traditionnels entre cours d'eau douce et d'eau salée, se moquant éperdument de l'interpénétration inextricable de la terre et des eaux, et allant même jusqu'à s'amuser à répandre sur le monde une nouvelle couche d'ambiguïté.

Madame Doucet, une très vieille femme du voisinage, avait toujours quelque chose à nous donner lorsque nous lui apportions des fleurs. Nos bouquets allaient du vulgaire amas de pissenlits, cueillis à peu près sans effort au pied de la porte, à des arrangements plus recherchés de tiges sauvages qui, dans ce temps-là, n'avaient pas de nom. En échange de ce que nous avions le cœur de rassembler ce jour-là, nous recevions immanquablement un caramel, un morceau de pomme, un cent noir, un biscuit. Ça remplissait un petit creux en fin de matinée ou en après-midi, quand le temps était long et qu'il n'y avait rien d'autre à faire. Même les garçons se laissaient parfois aller à ce quémandage déguisé. Nous pouvions nous présenter chez madame Doucet plusieurs fois par semaine avec nos bouquets, jamais elle ne les refusait, ce qui nous obligeait à nous questionner sur la nature humaine, car nous savions très bien qu'aucune de nos mères n'aurait toléré un pareil cirque. La patience et la gentillesse apparemment illimitées de madame Doucet finissaient donc par nous donner une image trouble de nous-mêmes, de sorte qu'à un moment donné, tout enfant qui se respectait se retirait de lui-même de ce manège.

Un delta n'est pas chose donnée à n'importe quel fleuve. Le fait que l'Amazone et le Congo, les deux plus grands fleuves du monde, n'en ont pas prouve bien que les deltas ont des conditions d'existence particulières. D'ailleurs les spécialistes des littoraux se sont penchés sur ces conditions et en ont fait ressortir toutes les nuances. Ils et elles ont distingué les deltas simples des deltas composés, les deltas aux formes digitées des deltas arrondis et des deltas atrophiés. Leurs écrits parlent aussi de vives-eaux et de mortes-eaux, de sédiments terrigènes et de floculation, de reptation et de sultation, de panaches turbides, de lagunes et de vasières, de ravins et de monticules. Ces spécialistes ont bien sûr étudié l'âge des deltas et noté que l'évolution morphologique de plusieurs d'entre eux est appréciable à l'échelle d'une vie humaine. Les particularités des deltas selon les conditions climatiques, le rôle du vent et de la végétation, et les perturbations profondes causées par l'intervention de l'homme ont été relevées, et les diverses étapes du travail de la pente ont été schématisées. Les changements de lit ont également été recensés : le fleuve Huang-ho, par exemple, aurait changé de cours et d'embouchure vingt-six fois en trois mille ans.

Tous les enfants n'étaient pas confrontés à la même nécessité d'être inventifs pour répondre à leurs petits besoins personnels. Dans certaines maisonnées, les cinq cents destinés à l'achat de friandises étaient distribués assez librement. Dans d'autres, il y avait des bonbons à la semaine dans les bonbonnières. Dans d'autres encore, il suffisait parfois d'exprimer un besoin pour que s'amorce une espèce de réponse. Mais il se trouvait aussi de ces maisonnées où il n'y avait rien à comprendre, où les besoins ne trouvaient même pas à s'exprimer. Ou alors, ceux qui trouvaient à s'exprimer étaient d'une toute autre nature. En visite, enfants, chez nos amis, nous embarquions dans le train-train de la maisonnée comme dans un tour de manège, nous fiant à la mécanique en place. Il se passait chez eux des choses impensables chez nous, parfois pour le meilleur, parfois pour le pire. Cela alimentait notre regard. Nous pigions ainsi un peu partout et nous composions une vie à partir de cela. Notre vie était faite de cela. De choses utilisables et de choses non utilisables. De choses qui avaient une valeur sûre et d'autres qui n'avaient pas de valeur évidente. De choses dont la valeur resterait à découvrir.

Un delta se forme habituellement lorsque la mer ne parvient pas à redistribuer sur une grande étendue les débris et particules transportés par un fleuve ou une grande rivière. Cette matière en voyagement se dépose peu à peu à l'embouchure du fleuve, créant à la longue des îlots ou des amoncellements qui gênent le libre écoulement de l'eau. Pour aboutir à la mer, le fleuve finit par se répandre en de nombreux plus petits cours d'eau, dont les branches principales, vues des airs, forment les côtés d'un triangle isocèle. D'où l'appellation de *delta*, la quatrième lettre de l'alphabet grec, dont la majuscule, Δ, a justement cette forme triangulaire caractéristique. Les deltas visibles, c'est-à-dire ceux qui exposent une interpénétration plus ou moins complexe de la terre et des eaux, sont les plus connus. Mais il existe aussi des deltas sous-marins et des deltas de marée, qui sont en fait des deltas embryonnaires, et ne sont pas considérés comme de vrais deltas. Pour tout dire, le seul critère d'un delta concerne l'avancée de la terre sur la mer. Cette avancée peut être considérable : elle est de trente kilomètres pour le Danube, par exemple, et de cent quarante kilomètres pour le Mississippi, longtemps considéré comme le plus grand delta du monde, titre qui revient maintenant au delta du Gange-Brahmapoutre. Même la multiplicité des bras n'est pas un critère de delta, bien que la plupart en aient plusieurs.

2

Il n'est ni facile ni gratuit de naître. Les bouddhistes disent qu'il est plus difficile pour un être humain de naître que pour une tortue aveugle, errant dans les profondeurs d'un océan vaste comme l'univers, de passer par hasard sa tête dans un cercle de bois flottant à la surface de l'eau, exploit d'autant plus rare que le cercle de bois est poussé çà et là par les vagues et que la tortue ne remonte à la surface de l'eau qu'une fois tous les cent ans.

L'astrologie prétend de son côté qu'à toute naissance correspond une finalité cosmique de l'univers. Dans cette optique, l'être qui naît, ou qui entre dans la densité, est le fruit d'un vouloir et d'un projet, d'un double projet en fait, celui de se perfectionner lui-même et celui de répondre au besoin de l'univers en y apportant son savoir-faire unique. L'heure, le jour, l'année et le lieu de naissance servent donc à identifier les forces en jeu au moment de la naissance d'une personne, forces qui exerceront une influence pendant toute sa vie.

L'astrologie est une science fort complexe. Certains de ses traités sont de véritables prières, d'autres de véritables poèmes. D'autres encore consistent en des tables de calculs et de vecteurs tout à fait exorbitantes. Tout cela a pour but de nous montrer que la vie a un sens et que chacun est investi d'une mission, d'un parcours unique. L'astrologie aspire à aider les gens à trouver leur parcours et à se réaliser au meilleur de leurs capacités dans cette trajectoire. Chacun peut absorber son enseignement par petites doses tous les matins au petit-déjeuner, ou de temps en temps en face à face avec un ou une astrologue de profession. L'important n'est pas de prendre l'astrologie très au sérieux. La prendre avec un grain de sel peut déjà suffire.

Dans notre cas, le plus difficile n'était peut-être pas de naître, mais de naître à quelque chose. Nos efforts en ce sens se manifestaient d'abord dans la petite école Acadie en face de l'église, un bâtiment gris de deux étages, tout à fait carré. C'était l'école des première, deuxième et troisième années. On y faisait notre apprentissage sous l'œil vigilant des deux madame Cormier, de madame LeBlanc, de mademoiselle Melanson, de mademoiselle Cyr et de madame Dawson. Au début je faisais mes *m* et mes *n* avec trop de bosses. La maîtresse avait fini par perdre patience et cela m'avait fait pleurer.

Je parle du Dieppe de mes amies d'école Cyrilla LeBlanc, Gertrude Babin, Debbie Surette, Louise Duguay, Charline Léger, Gisèle Sonier, Alice Richard, Lucille Bourque, Thérèse Léger et Florine Vautour, et du Dieppe des grands gars du coin qui s'appelaient Titi, Tillotte, Pouteau, Pep, Hum, Youma, Lope, Tête de naveau, Hawkeye et Blind Benny.

Les signes astrologiques sont une chose, les maisons dans lesquelles se retrouvent les astres qui nous gouvernent en sont une autre. Au nombre de douze, les maisons astrologiques représentent chacune un des grands domaines de l'activité humaine. De l'une à l'autre, il y a évolution dans les capacités et les aspirations de l'individu ; il y a, de l'une à l'autre, épanouissement du corps physique et du corps psychique. Les douze maisons, nommées tout bonnement selon l'ordre qu'elles occupent sur la charte, se présentent donc comme une succession d'étapes évolutives. Elles traitent de tous les aspects du développement d'un individu, de la naissance jusqu'à la mort, et même après. Dans l'ensemble, elles représentent l'un des cinq grands chapitres de la science astrologique. Les autres chapitres portent sur les signes du zodiaque comme tels, les planètes, les aspects et les transits.

La charte des maisons astrologiques ressemble à une tarte de douze pointes. Les thèmes des maisons I à VI, situées en dessous de l'axe horizontal, portent sur l'épanouissement de l'être dans la matière, sur l'organisation matérielle de la vie. Les maisons VII à XII sont situées en dessus de l'axe horizontal et traitent de la croissance de la conscience. De plus, chaque maison entretient un rapport particulier avec sa maison opposée, de telle sorte qu'on ne peut étudier les forces en jeu dans l'une sans tenir compte de son vis-à-vis. La Maison I est donc en rapport avec la Maison VII, la II avec la VIII, et ainsi de suite. Chaque maison correspond aussi à l'esprit d'un des signes du zodiaque. Ainsi, une personne dont la carte du ciel montre un amas planétaire dans l'une où l'autre des maisons présentera des caractéristiques correspondant au signe associé à cette maison, en plus des caractéristiques du signe correspondant au moment de sa naissance.

Le *criard* du poste de pompier sonnait à neuf heures tous les soirs pour indiquer aux enfants qu'il était temps de rentrer. Il sonnait aussi lorsqu'il y avait des incendies. Un jour, le *criard* de neuf heures s'est tu. C'était un élément de paysage qui disparaissait. À un moment donné, quelqu'un a érigé une structure en bois, contenant quelque chose qui ressemblait à des cloches, sur le toit de la petite école Acadie. Nous nous demandions si cette installation allait finir par remplacer le *criard*. C'était une alarme en cas de guerre, disait-on. Je crois même que circulait le mot *nucléaire*. Il aurait aussi fallu nous creuser des abris à l'épreuve des bombes dans nos caves et y ranger des provisions, au cas où. J'avais mentalement commencé à organiser cet abri dans notre cave, à côté des étagères où nous rangions les confitures et quelques boîtes de conserve.

Certains d'entre nous passions devant chez Régis et le restaurant Palm Lunch tous les jours en allant à l'école. Le bâtiment qui abritait les deux commerces et un salon de barbier s'appelait *le coin*, parce qu'il était situé à la croisée des deux principales artères de Dieppe, l'avenue Acadie et la rue Champlain. Ces rues étaient sans doute principales parce qu'elles aboutissaient ailleurs qu'aux maisons de nos amis ou que dans les champs. L'avenue Acadie menait à Memramcook, la rue Champlain à l'aéroport.

Le magasin Régis était une épicerie générale avec un boucher et sa viande, du fromage en meule et de la tête fromagée. On pouvait y acheter à crédit. Ça se disait *faire marquer*. Régis sortait alors son calepin et *marquait* nos achats. Des fois nous payions comptant. Le magasin avait aussi une assez bonne sélection de bonbons à un cent. Toutes les autres friandises – croustilles, boissons gazeuses, tablettes de chocolat, glaces – coûtaient cinq ou dix cents. Il y avait aussi un comptoir de bonbons au Palm Lunch. Souvent nous prenions le temps de comparer les deux étalages avant d'acheter, ce qui expliquait le va-et-vient constant d'enfants entre les deux commerces.

Le Palm Lunch, dont nous prononcions le nom d'une traite sans savoir ce que nous disions, c'était, d'un côté, un long comptoir légèrement surélevé bordé de sièges tournants, et de l'autre côté, juxtaposées au comptoir de friandises, des armoires remplies de marchandise comme dans un magasin général. C'était souvent le propriétaire lui-même, Moody Shaban, qui traversait d'un bord à l'autre pour nous servir. Au fond du restaurant, il y avait quelques machines à boules et une table de billard, ce qui faisait du Palm Lunch un endroit idéal où tuer le temps. Tout compte fait, il y avait pas mal de monde, des gars surtout, toujours plus âgés que nous, qui avait du temps à tuer. Nous y retrouvions aussi les membres d'une famille pas comme les autres, ne serait-ce que parce que les parents et les enfants mangeaient souvent au restaurant, parfois seuls, parfois ensemble, et à n'importe quelle heure. Je leur enviais ce libre régime de hamburgers, de hot-dogs, de frites et de sandwichs chauds au poulet, mais les cheveux teints et surcoiffés de la mère me laissaient songeuse. La paume de la main étant la seule définition que je connaissais alors du mot anglais *palm*, j'ai longtemps pensé que le nom du restaurant vantait ces repas qui se mangeaient surtout avec les mains. Il m'a fallu des années avant de comprendre que le petit palmier en néon vert et rouge suspendu dans la vitrine du commerce n'était pas qu'un décor superflu. Il m'a fallu des années avant que la réalité du palmier, ou son irréalité, m'assaille.

Un autre petit magasin, le Nightingale, était situé en bas de l'église, c'est-à-dire en bas de la butte, après l'église. Beaucoup de gens de l'école habitaient dans ce coin-là, c'est-à-dire les rues Orléans, Thibodeau, Gaspé et Charles, pour ne nommer que celles-là. Quant aux gens de la rue Gould, ils avaient presque un dépanneur juste à eux, le magasin Gould. Les bonbons variaient d'un établissement à l'autre, et les nouveautés qui apparaissaient dans un magasin et pas dans les autres créaient souvent des jalousies entre les enfants. J'ai trouvé le Nightingale encore plus mystifiant le jour où une institutrice nous a appris que le *nightingale* est un oiseau.

Une fois par année, ma mère nous lançait le projet de faire notre propre *rootbeer*. L'idée nous enthousiasmait toujours et, pour le budget familial, ça revenait moins cher que la *liqueur* du magasin. Il s'agissait de faire mijoter dans d'énormes chaudrons une quantité considérable d'une préparation liquide, puis d'embouteiller le tout dans de grandes bouteilles de bière. C'était un projet assez ambitieux. Nous avions du mal à croire qu'il puisse sortir autant de *rootbeer* d'un si petit flacon d'arôme acheté à la pharmacie. Une fois les bouteilles remplies, encapsulées et bien propres et lisses, nous les montions au grenier, deux à la fois, une dans chaque bras. Nous étions probablement trois ou quatre à faire la navette pour aller laisser mûrir la *rootbeer* qu'on ressortirait aux occasions spéciales comme à Noël, aux anniversaires, un dimanche de temps en temps et, s'il en restait, à l'été, quand nous irions pique-niquer à Belliveau's Beach, avec le grand sac de plage carreauté pour nos serviettes et le panier d'osier pour le goûter. Je revois les bouteilles vertes, presque noires, enveloppées dans du papier journal et couchées les unes par-dessus les autres dans l'obscurité du grenier. C'était déjà une sorte d'œuvre d'art.

3

Une grande énergie se dégageait les soirs de feux. Nos parents n'auraient jamais songé à nous retenir à la maison ces soirs-là, même en sachant que nous reviendrions enfumés et noircis, les sourcils brûlés, les cheveux raidis par la boucane. Jamais ils ne nous auraient privés de la magie qui s'opérait. C'était comme s'ils savaient que nous partions faire quelque chose d'important, d'essentiel même, quelque chose qui ressemblait à l'exercice de notre puissance. Car c'était bien de cela qu'il s'agissait : que nous soyons en train de propager le feu ou de l'éteindre, d'ouvrir ou de fermer le chemin aux flammes, c'était dans notre façon, à chacun d'entre nous, de combiner ces deux opérations complémentaires que nous mesurions notre pouvoir et goûtions à tous les autres plaisirs, ceux que procuraient le crépitement du feu, l'odeur de la boucane, le spectacle du feu consumant en un rien de temps une majestueuse touffe d'herbe, les sauts à travers les flammes et la vive camaraderie de nos amis et de toutes les autres personnes qui participaient à ce rituel sublime et sauvage. Chacun s'amusait au même degré, faisant la même expérience envoûtante de sa personne.

Cela commençait par se discuter un peu à l'école. Arrivée l'heure du souper, tout le voisinage n'était que fébrilité et murmures incertains sur l'identité de celui – quelle fille aurait osé ? – qui laisserait tomber la première allumette. Cette bravade déclencherait la réaction en chaîne, l'odeur de la boucane se répandrait, signal ultime qu'il était temps de passer aux actes. Peu de temps après, la sirène du poste de pompier et la sortie clinquante des camions à incendie confirmeraient que la soirée des feux était bel et bien lancée. Tous les champs y passeraient. Nous nous approcherions le plus possible des maisons, où se postaient les pompiers, nos complices en quelque sorte. Puisqu'ils savaient, eux aussi, qu'ils ne réussiraient jamais à empêcher cette espèce de défoulement collectif, ils se contenteraient d'éteindre les flammes qui menaçaient de trop près les terrains privés.

Tard le soir, ayant noirci toutes les terres intérieures, les feux s'éloigneraient tranquillement du cœur de la ville pour s'en aller brûler librement dans les marécages, avançant en longues raies orangées jusqu'à leur éventuelle extinction le long des routes, des cours d'eau et des autres barrières naturelles. Le lendemain, souvent, cela fumait encore au loin. C'était triste de voir en plein jour tous ces champs brûlés autour de nous, mais notre bonne humeur revenait dès que nous repensions à l'énergie merveilleuse de la veille. En outre, puisque les champs reverdiraient bientôt d'une herbe toute neuve, nous avions l'impression d'avoir aidé la nature à se renouveler. Jamais la vue des champs calcinés n'empêcha le délire des feux de s'emparer de nous la saison suivante.

Sous le signe du Bélier, la Maison I est justement celle de la naissance. Il existerait un art de naître, une façon d'acquérir et de grandir qui prédisposeraient à bien vivre. Cela se laisserait voir dès la naissance, à la réaction du bébé à son environnement, à son propre corps et à celui des autres. La Maison I fournit des indices quant à la première impression que l'on fait sur le monde et vice versa. C'est la maison de l'individualité avant toute autre influence, des dispositions et des tendances naturelles, de l'hérédité, des maniérismes et du style. C'est la maison du commencement, de l'énergie vitale, de la jeunesse centrée sur elle-même. Elle donne un aperçu de la façon dont on se présente et dont on se met en valeur. C'est la maison de ce qu'on fait pour soi-même, c'est l'endroit où l'on se sent bien quand on est seul.

Même si nous n'y portions pas trop attention du fait qu'elle n'avait pas de rôle particulier – on ne pouvait ni s'y baigner, ni s'y promener en bateau, ni y pêcher –, la rivière Petitcodiac avait quand même une place dans notre vie. En premier lieu, elle était toujours là, large, brune, endiguée, incontournable de par sa couleur, ses grandes laisses de vase et son célèbre mascaret. Nous n'avions cependant pas une très grande affection pour cette rivière plate, rarement agitée, au même niveau que tout le reste, et de surcroît le plus souvent dissimulée par la digue. Elle n'avait pas d'odeur, coulait sans bruit, se passait de nous comme nous nous passions d'elle. Mais cette rivière quasiment absente prenait une dimension surréelle chaque fois qu'un pétrolier Irving s'amenait pour remplir les immenses réservoirs blancs situés tout à fait dans son coude, à l'embouchure du ruisseau Hall. Alors que nous avions presque tout oublié de la rivière, un superpétrolier nous apparaissait soudainement, sans effusion, ayant tout bonnement l'air de flotter sur le marais, laissant échapper sa plainte de navire seulement lorsqu'il était déjà bien en vue. L'impression de cette arrivée un peu sournoise a laissé en moi des traces indélébiles. Je revois l'enfant que j'étais se promenant innocemment dans le champ et qui, jetant par hasard un regard par-dessus son épaule, voyait un pétrolier géant lui arriver dans le dos. Encore aujourd'hui, chez ma thérapeute, je ne peux jamais prévoir si je devrai m'étendre sur le dos ou sur le ventre. Je ne sais pas s'il faudra, ce jour-là, redresser ma colonne ou débloquer mes chakras.

Il existe une multitude de deltas vrais outre celui que le Gange et le Brahmapoutre dessinent ensemble dans le golfe du Bengale, et celui du Mississippi, probablement le delta le mieux connu. En Afrique, le fleuve Niger forme un vaste delta en se jetant dans l'océan Atlantique, à Port Harcourt ; il dissimule en plus un important delta intérieur, tout comme le fleuve Sénégal d'ailleurs. Le Nil, le Rhône et l'Èbre forment, à leur embouchure, de grands deltas en Méditerranée. En Italie, le Pô crée lui aussi un grand delta en se jetant dans la mer Adriatique. Toujours en Italie, le delta du Tibre, en mer Tyrrhénienne, constitue l'exemple classique d'un delta triangulaire. De vastes deltas s'ouvrent aussi à l'embouchure des deux plus grands fleuves d'Europe, la Volga et le Danube, le premier se jetant dans la mer Caspienne, le deuxième dans la mer Noire. L'Amou-Daria, qui baigne le Turkménistan et l'Ouzbékistan, se déverse dans la mer Aral par un delta lui aussi très étendu, tandis que la configuration du delta de la Léna, en Sibérie, est caractéristique des formations deltaïques des régions froides des hautes latitudes, tout comme chez nous le delta du fleuve MacKenzie. On rencontre dans les latitudes chaudes et humides, comme en Asie des moussons, de nombreux deltas parmi les plus étendus au monde : deltas du Godâvari et de l'Indus en Inde, de l'Irraouadi en Birmanie, du Yang-tsé Kiang et du Huang-ho en Chine. Le Huang-ho, ou fleuve jaune, du fait qu'il charrie une grande quantité d'alluvions, provoque des inondations meurtrières à cause de la densité de la population des zones deltaïques des régions tropicales humides. Dans le Nord du Viêt-nam, le Sông Kôi, ou fleuve Rouge, forme avec le Sông Bo, ou rivière Noire, le delta du Tonkin ; dans le Sud, le Mekong se déverse dans le delta de Cochinchine. Certaines îles indonésiennes ont aussi des deltas remarquables, notamment à l'embouchure du Mahakam, à Bornéo, et du Solo, à Java. Et enfin, dans un autre ordre d'idée, en Tunisie, le delta de la Medjerda est un véritable musée de géomorphologie récente, riche en enseignements sur les conséquences de l'intervention humaine dans les processus deltaïques.

Il y avait quatre jardins de légumes dans l'entourage immédiat de la maison familiale. Je vois encore madame Pinet, monsieur Bourgeois, monsieur Gallant et la vieille Mina Gauvin penchés au-dessus de leurs sillons. Lorsque des légumes du voisinage arrivaient sur notre table, ils venaient la plupart du temps du jardin de madame Pinet, notre voisine, qui nous les donnait. Nous en achetions aussi un peu de Mina Gauvin, surtout de la rhubarbe et des cosses, mais parfois aussi des betteraves, des carottes et des concombres. Si nous goûtions à l'occasion aux légumes des Bourgeois et des Gallant, leurs jardins étaient surtout de beaux tableaux qui se dessinaient sous nos yeux, aux fenêtres de la cuisine.

Je parle du Dieppe de Bruegel l'Ancien, où chacun érige ses propres monuments intérieurs. Je parle du Dieppe du *Dénombrement de Bethléem*, de ses habitants qui affluent à l'auberge À la Couronne verte pour payer leur dû aux agents de l'empereur. Je parle de ce petit bourg flamand où l'on vient des bourgades avoisinantes pour s'échanger le contenu de paniers, de dames-jeannes et de cageots de volaille. Je parle du porc qu'un paysan égorge au vu et au su de tous, de sa femme qui recueille le sang dans un poêlon, et de l'autre bête qui attend son tour, car il y a tout à coup beaucoup de monde à nourrir. Des gens au dos chargé s'en viennent à pied sur les cours d'eau gelés de bord en bord, d'autres sont là depuis un bon moment déjà. Ils ont installé bien en vue leurs charrettes en forme de tonneau, chargées de grain ou de vin, et maintenant ils discutent, négocient, contestent, s'échangent des nouvelles. Je parle des poules qui picorent au pied de l'artisan qui fabrique et vend ses chaises devant l'auberge, trépieds à fond de paille qui servent aussi de traîneau pour les enfants que les parents tirent sur la rivière gelée. Je parle d'une femme balayant de la neige, d'un homme chaussant des patins, d'enfants s'amusant à faire tourner des toupies ou à se bousculer sur la glace. Des soldats sont rassemblés devant l'un des nombreux bâtiments ; un peu plus loin, une petite foule est réunie autour d'un feu, présumément pour la chaleur qu'il dégage. Peut-être que l'on y torréfie du blé. Ailleurs, quelques personnes sont assises à l'intérieur du tronc d'un arbre pas tout à fait mort, aménagé pour accueillir d'autres voyageurs fatigués. Ici et là on pousse, on tire, on vaque à ses affaires, on construit une cabane, on charrie du bois. Dans la cour d'une petite chaumière, une paysanne se penche sur ses choux à moitié ensevelis sous la neige. Il y a aussi un chien et quelques corbeaux. Portant une longue scie sur son épaule, Joseph tire l'âne sur lequel est assise Marie, enceinte de Jésus. Le bœuf les accompagne déjà. Ils font partie de ce paysage nordique du seizième siècle comme n'importe qui d'autre, prêts à rejouer le drame de la chrétienté. Arrivent aussi deux individus transportant des objets qui font penser aux cadeaux des rois mages. Ils passent tout près d'un enfant assis sur un traîneau, se propulsant de lui-même vers l'avant au moyen de bâtonnets qu'il pique dans la glace. Au centre du tableau, une roue esseulée est figée debout, enlisée dans la neige et la glace. Elle compte douze rayons.

4

Bon an mal an, Hard Time Gallant achetait toutes nos *lêches*. Son magasin, la Marsh Canteen, était situé à une autre extrémité de la ville, à l'endroit du marais qui, traversé du ruisseau Hall, séparait les villes de Dieppe et de Moncton. Sa cantine ne fut longtemps qu'un assemblage de bicoques dont une seule pouvait être chauffée et gardée ouverte l'hiver. Court et gros, portant des lunettes épaisses, Hard Time Gallant ne parlait pas beaucoup, mais il vendait de tout dans son magasin, y compris des produits de jardinage et des denrées alimentaires locales comme des huîtres, du poisson salé, du poisson boucané, du lard, des poutines et des tétines de souris, bref des aliments très peu attrayants pour les enfants.

Dès le dégel du printemps, Hard Time se remettait à vendre des vers pour la pêche et nous redevenions ses fournisseurs. Quand, ayant besoin d'un peu d'argent, nous avions le cœur à fouiller la terre fraîche, nous pouvions, après une heure ou deux de *diggage*, lui présenter une boîte de conserve respectablement remplie de belles *lêches* tout entortillées les unes autour des autres. Notre canette pouvait être plus ou moins volumineuse, les vers plus ou moins gras, luisants ou terreux, Hard Time la prendrait dans ses mains, la secouerait un peu pour voir si nous n'avions pas mis un peu trop de terre pour gonfler notre produit, et, nous jetant un coup d'œil à travers ses lunettes épaisses, il sortirait quelques pièces d'argent de sa poche ou de sa caisse. Il nous donnait rarement moins de dix cents, et parfois jusqu'à trente-cinq ou quarante cents. Certains osaient contester son prix. Il arrivait que nous obtenions plus ou moins que ce à quoi nous nous attendions. Il était difficile de savoir ce qui, ce jour-là, avait joué en notre faveur ou en notre défaveur. La fois d'après, nous creusions en tenant compte de notre dernier résultat, du dernier regard, de la dernière mimique de Hard Time Gallant, qui jamais ne refusa nos *lêches*. Je ne sais pas s'il parvenait réellement à écouler tous les vers que nous lui apportions.

Sous le signe de la Balance, la Maison VII est la maison des relations seul à seul, qu'elles soient conjugales ou d'affaires. Avec l'entrée dans une maison située en dessus de la ligne d'horizon, c'est le passage du privé au public, de la nuit au jour, de l'adolescence à l'âge adulte. C'est la recherche d'associés afin de réaliser ou d'obtenir ce que l'on ne peut tout seul. C'est la maison du mariage et de la famille, des contrats et de la clientèle, des procès mineurs et des adversaires. On y apprend à transiger, à être en rapport avec les autres et avec le public. Dans la Maison VII, on se voit à travers les yeux de l'autre, d'où l'importance de se mettre en lumière de façon à être bien vu, dans une lumière qui nous rend justice sans être trop aveuglante pour l'autre. Cela explique aussi l'accent mis sur les notions de mesure et d'équilibre, d'harmonie et de prudence.

Je ne sais pas à quel âge il m'a été donné de lire le *Journal* d'Anne Frank, mais je me souviens très bien de l'aventure imaginaire inouïe dans laquelle m'a plongée cette lecture, au cours de laquelle j'ai remplacé les personnages décrits par mes propres parents, frères et sœurs. À défaut de pouvoir me représenter clairement l'espace du logement où se cachèrent les quatre membres de la famille Frank et quatre autres Juifs de leur connaissance pour échapper aux nazis pendant la Seconde Guerre, j'imaginai toute l'histoire se déroulant dans le grenier de notre maison familiale, espace réduit qui ne ressemblait en rien à l'Annexe de trois étages dont au moins cinq pièces avaient été aménagées pour abriter les célèbres clandestins. Ainsi donc, confinés dans l'endroit le plus approximatif que j'avais pu concevoir, nous nous déplacions, à quatre pattes la plupart du temps, dans de petits couloirs bordés de cartons et de malles, dans une obscurité quasi totale. Seules les fentes laissaient passer la lumière le jour, et l'air froid l'hiver. Il n'y avait d'espace pour aucun meuble ; la nuit nous dormions le plus souvent recroquevillés, car il n'y avait pas assez de place pour que nous puissions tous nous allonger. Les voisins nous apportaient des vivres en cachette, et tous nous faisions des efforts pour ne pas avoir trop faim. Nous avions du courage. Nos parents étaient les maîtres d'œuvre et nous, les enfants, nous nous en remettions à eux. Pour une fois, il nous était réellement possible d'être raisonnables. Si conflit il y avait, nous ne le laissions jamais s'envenimer. Chacun devait prendre sur soi, c'était la seule façon. La grande nouveauté, pour moi, c'était la présence du chat. Qui s'appelait Kitty. En réalité, Kitty est le nom qu'Anne Frank avait donné au célèbre journal intime à qui elle s'adressait comme à une confidente. La jeune écrivaine parla peu du chat de l'Annexe, Mouschi, dont la tâche était d'attaquer les rats qui pillaient les victuailles la nuit. Je fis donc de Kitty un vrai chat, que j'imaginai marchant et sautant avec agilité çà et là sur les cartons de notre abri exigu. Quant aux deux rats que Kitty devait

attaquer, pour mon propre confort, j'en fis des êtres peu-
reux qui n'osaient pas s'approcher tant que quelque chose
bougeait, et dans notre installation précaire, il y avait
toujours quelqu'un qui grouillait.

Je ne me souviens pas à quel âge il m'a été donné de
lire le *Journal* d'Anne Frank, mais ce livre m'a conduit
tout droit à Moody Shaban, du Palm Lunch, premier Juif
en chair et en os de ma vie. Pendant des mois, pour ne
pas dire des années, je l'ai regardé en essayant de déceler
ce qu'il pouvait avoir de particulier, ce qu'il pouvait avoir
de différent de nous, non juifs. Simplement cela. Ce regard ouvert, ce désir de comprendre.

Je parle du Dieppe du Débarquement, de cette désas-
treuse opération expérimentale, riche seulement en enseignements en vue de futures interventions. Dieppe, août
1942, déploiement amphibie de grande ampleur que seule
une synchronisation parfaite aurait sauvé de la catastro-
phe : deux cent trente-sept navires de guerre de toutes
formes et de toutes dimensions, voyageant tous à des vi-
tesses différentes, et soixante-sept escadrons mobilisés
pour l'attaque aérienne. Je parle du rôle de la noirceur, de
l'effet de surprise et de la densité de l'approche à l'heure du
coucher de la lune. Je parle de plages jaune, bleue, rouge,
blanche, verte et orange, et de plus de six mille hommes
dont plusieurs avaient conscience de courir à leur perte.
Je parle de la forteresse de Dieppe, des remparts implaca-
bles dressés par les Allemands pour parer à toute attaque
venant de la mer, de kilomètres de rouleaux de barbelés
et d'énormes barrages en béton surmontés de carabines,
de mitraillettes et de canons de tout acabit. Je parle du
silence assourdissant dans la cabine du commandant, au
loin, sur la mer, qui attendait que les troupes rendent

compte de leurs avancées, ne réalisant pas l'ampleur du massacre, ignorant que les Allemands visaient en premier lieu l'équipement de communication et leurs opérateurs. Je parle du combat qui ne se dessinait pas sur les immenses cartes de stratégie militaire parce que des mots essentiels s'effaçaient des messages retransmis, rendant confuses les communications trop rares. Je parle de milliers d'hommes qui ne réussirent même pas à mettre le pied à terre tellement l'attaque de l'ennemi fut féroce, criblant de balles les péniches de débarquement et laissant à l'eau leur cargaison humaine, elle aussi criblée de balles, et de milliers d'autres hommes morts sur la plage, au pied de la falaise. Je parle de la possibilité accordée à certains de déserter avant d'être pris par les Allemands et d'être faits prisonniers de guerre, ce qui s'avéra, pour un grand nombre, un long processus de famine et d'humiliation. Je parle d'un garçon à la limite du village de Belleville-sur-Mer qui, ce matin-là, facilita le travail des seules troupes véritablement victorieuses de ce débarquement en les renseignant quelque peu sur la batterie allemande en poste au village. Je parle d'un simple soldat, abattu alors qu'il traversait un verger. Je parle des entrailles de Dieppe, de l'odeur de l'échec, du complexe du héros et du fonctionnement délirant de nos forces et de nos faiblesses.

De toutes les notions abstraites qu'il nous fallait assimiler, l'éternité est celle qui me donna le plus de fil à retordre. D'abord parce que rien de ce qu'on nous offrait comme ciel n'avait de quoi me séduire. Je ne voyais aucun intérêt à simplement flotter sur un nuage, et de toute façon je savais bien que c'était impossible. Il me fallait donc imaginer un paradis plus plausible, mais d'une simplicité, pour ne pas dire d'une monotonie, équivalente. Je ne trouvai rien de mieux qu'un petit chemin de terre, comme il s'en trouve souvent au bord de la mer, un chemin à deux sillons, avec une bande d'herbe au milieu. J'aimais marcher pieds nus dans ces chemins parce que le sol battu était recouvert d'une mince couche de terre très fine, encore plus fine que le sable. J'aimais cette poussière de terre presque blonde, j'aimais y poser le pied et, en le relevant, y laisser traîner un peu le dessus de mes orteils. C'était tout ce que j'arrivais à imaginer comme simple ciel. Quant à y passer l'éternité, je me voyais marchant le long de ce chemin, ma main dans celle d'un beau Jésus tout vêtu de blanc, chacun dans son sillon. Pour qu'elle soit sans fin, je projetais une longue courbe dans la route, de sorte à ne jamais voir son aboutissement. Il fallait un gros effort de concentration pour ne pas succomber de lassitude et d'ennui devant la perspective d'une marche qui avait toutes les chances de devenir fatigante et monotone à la longue. Car la compagnie de Jésus ne me faisait rien vivre de très palpitant.

Charles-Édouard Bernard, communément appelé Chuck Bernard, devint le premier motard officiel de Dieppe. Il alla chercher ses lettres de noblesse à Toronto, auprès de la bande Satan's Choice, et sema tout un émoi lorsqu'il réapparut par un beau jour de mai, vêtu de son accoutrement crassé, aux commandes d'une Harley Davidson d'allure tout aussi démoniaque. La nervosité qui se propagea alors instantanément sur la ville persista pendant des semaines. On disait qu'il n'y avait rien à son épreuve. Certains disaient même que Chuck graissait son abondante chevelure noire avec l'huile de sa motocyclette dans le stationnement du Palm Lunch. Personnellement je ne l'ai jamais vu faire, mais tout est possible.

5

La cueillette des petites fraises sauvages dans le grand champ juste derrière la maison nous occupait pendant les premiers jours de l'été. Au début la chaleur et le soleil suffisaient à rendre excitante cette petite excursion dans les champs, contenant en main. Mais avec les jours et les années, le jus qui rougissait les doigts et les petites boules de crachat renfermant de minuscules insectes vert pâle qui nous collaient aux jambes finissaient par nous faire perdre intérêt. La cueillette des petites fraises servait néanmoins de préambule à la cueillette des bleuets, qui poussaient plus loin de la maison, près de la piste de courses de chevaux. Les bleuets étaient plus plaisants à cueillir et ils faisaient un agréable petit bruit sec en tombant dans notre casseau, notre bocal en verre ou notre contenant de plastique. Le choix du récipient découlait de considérations diverses, la plus importante étant que nous aimions nous rendre aux *talles* en bicyclette, ce qui rendait cette activité doublement distrayante, mais qui nous obligeait à faire preuve d'une ingéniosité particulière pour revenir sans renverser les petits fruits de notre labeur.

Sous le signe du Taureau, la Maison II est la maison des talents et des ressources personnelles, des émotions et du besoin de se réaliser. C'est la maison du sens des valeurs et du sens de sa propre valeur. Maison des talents et des capacités de l'esprit, c'est aussi la maison du corps, notamment de la musculature et du toucher, ainsi que celle du comportement devant les biens matériels : confort, sensualité, liberté personnelle. La Maison II est aussi la maison des aptitudes aux gains financiers et à leur gestion, ce qui peut aller jusqu'à leur éventuelle perte. C'est donc aussi la maison de la dette personnelle, de la pluralité des revenus ou de l'absence de revenus, du pouvoir d'achat et de la situation économique vue de l'extérieur. L'agriculture, la banque et l'alimentation y tiennent une grande place, tout comme la tendance à la générosité ou à l'égoïsme. Maison de la richesse pour ce qui est des capacités que l'on a de se l'accorder et d'en jouir, la Maison II est aussi celle de la capacité de s'attribuer du pouvoir et d'en user.

L'enfant-roi dans sa *talle* de bleuets, un état se complexifiant selon le commerce, selon les moustiques, selon les cigarettes, selon l'indulgence ou la sévérité des parents. À vrai dire, la cueillette des bleuets avait un petit côté existentiel, un petit côté bleuté absolument absent de la cueillette des petites fraises, sans doute parce que nous délaissions définitivement le champ de fraises pour celui des bleuets au début de l'adolescence, quand nous étions pleinement capables de mesurer tous les avantages de la cueillette du petit fruit bleu rond et ferme. Fini le dilemme de l'équeutage : valait-il mieux enlever la queue des fraises au fur et à mesure ou seulement une fois arrivé à la maison ? Le bleuet s'imposait de lui-même du simple fait qu'il ne nécessitait pas cette manipulation supplémentaire fort ennuyante. Il faut aussi dire que, pour une raison ou une autre, peut-être à cause de leur rareté, les petites fraises semblaient seulement destinées à la maisonnée : il ne nous serait jamais venu à l'idée de les vendre pour nous faire de l'argent. Les bleuets par contre se prêtaient bien à la vente et nous étions libres de partager notre cueillette entre la maisonnée et le marché : le premier casseau servirait à confectionner un pâté pour la famille, et le deuxième serait vendu à une voisine ou à un passant. La somme obtenue irait directement dans notre poche. L'aspect commercial de la cueillette des bleuets rendait cette activité plus séduisante pour tous, tant pour les parents que pour les enfants. Il justifiait aussi des éloignements prolongés de la maison, puisqu'il fallait bien se rendre aux *talles*. De sorte qu'au bout du compte, entre un casseau plein et un autre à remplir, la cueillette du bleuet se transformait en une partouze de cigarettes au cours de laquelle nous exhalions d'un même souffle nos ennuis, notre désœuvrement et nos rêves, les uns aussi innocents et profonds que les autres.

De tous les archétypes, ces créatures primordiales qui agissent en nous, celui du héros est probablement le plus universellement répandu. Sorte de personnalité tribale vissée à l'enchaînement souvent rocambolesque d'un très large éventail de forces et de faiblesses se jouant les unes des autres, le héros sert d'exemple ultime à tous ceux et à toutes celles qui ne tiennent plus que par un fil. Par sa simple survivance, qu'il doit la plupart du temps à de multiples résurrections, le héros parvient à soutenir les individus dans leur quête personnelle et à aider les sociétés à se constituer une culture à partir du chaos. Dans un cas comme dans l'autre, il peut s'agir d'une tâche gigantesque, ce qui explique que les héros sont très souvent des individus au très long parcours, comme Hercule et Ulysse, les héros les plus célèbres de la mythologie classique.

Les héros naissent toujours de façon un peu miraculeuse, et très tôt dans la vie ils exhibent la force surhumaine qui les caractérisera. Mais ils ont beau avoir une grande force, les tâches qu'on leur confie sont la plupart du temps hors de toute mesure. Le pire, c'est qu'après avoir surmonté d'innombrables épreuves de tous genres, ils risquent de succomber aux machinations de contemporains jaloux de leur force, ou de déchoir de leur grandeur du fait de leur propre orgueil. En fin de compte, leur combat sera rarement gagné une fois pour toutes, le bonheur n'étant accordé qu'à ceux qui réussiront à naviguer sagement à travers les écueils, à entendre les conseils de leurs protecteurs – c'est un fait que les héros reçoivent presque autant d'aide que d'opposition pour accomplir leurs exploits – et à tirer de la force des puissances destructrices.

Quand nous voulions explorer d'autres contrées que les champs derrière la maison, nous nous dirigions vers le boisé derrière l'école Sainte-Thérèse où commençait le sentier des trois ruisseaux. Il fallait marcher dans le petit bois sur une distance d'environ un demi-mille pour atteindre le premier ruisseau. Juste avant d'y arriver, il y avait une petite clairière, de l'herbe rase avec quelques grosses roches sortant du sol. À quelques dizaines de pieds plus loin se trouvait le ruisseau comme tel, aux berges à peine dégagées, où il était tout de même possible de s'asseoir pour pique-niquer. L'idéal était de bâtir un petit feu et de faire cuire des patates dans la braise. N'importe qui pouvait se rendre sans trop de peine jusqu'au premier ruisseau, il n'y avait pratiquement aucune possibilité de se perdre en route. Le sentier qui menait au deuxième ruisseau était plus embroussaillé, de sorte que l'on ne voyait pas grand-chose en chemin. Je ne suis allée qu'une fois au deuxième ruisseau. Comme c'était plus loin, à peine y était-on arrivé qu'il fallait déjà songer à rentrer chez soi. La distance et les rumeurs sur ce qui se passait au troisième ruisseau ne m'ont jamais incitée à m'y rendre. Tout compte fait, j'étais une fille du premier ruisseau, mais j'aurais aimé me retrouver plus souvent seule avec le ruisseau, y barboter à ma guise, y faire des feux à mon aise, pêcher une truite, guetter les castors. Mais les autres qui s'y rendaient ne prenaient rien de tout cela au sérieux. Ils parlaient fort et se narguaient sans arrêt avant de carrément se courir après et s'attraper pour se chamailler ou s'embrasser sur la bouche, selon les répulsions et les attirances du moment.

D'Hercule on retient surtout la force physique et les Douze Travaux, bien qu'il réalisa de nombreux autres exploits à part ces travaux qu'on lui imposa pour se purifier du meurtre de ses premiers enfants. Élève fort indiscipliné, Hercule avait déjà tué son maître de lettres et de musique, Linos, en le frappant, dans un accès de colère, avec un tabouret ou une lyre. Il s'en tira en invoquant la légitime défense, mais par la suite, craignant de nouvelles crises de folie, son père l'envoya à la campagne soigner les troupeaux. Peu de temps après, ayant tué ses enfants sans le vouloir – s'agissait-il d'un mauvais sort que lui avait jeté Héra ? –, Hercule voulut se suicider, mais on réussit à l'en distraire, et les Douze Travaux lui fournirent l'occasion d'expier la souillure. En psychanalyse, les travaux d'Hercule symbolisent le long et douloureux processus d'auto-éducation de l'être pour accéder à la sagesse et à la sérénité.

La tuerie, soit d'animaux, d'êtres ou de monstres malfaisants, est au cœur des Douze Travaux, mais à l'occasion Hercule se montra tout simplement galant, libérant par-ci par-là des êtres dignes. Il lui arriva aussi d'être serviable. Par exemple, il nettoya en un jour les écuries d'Augias, où s'entassait le fumier de centaines d'animaux depuis des décennies. Pour ce faire, Hercule eut l'idée géniale de détourner le cours de deux fleuves de sorte qu'ils coulent dans les écuries. Mais le fait qu'il exigea d'être payé pour son labeur jette une ombre sur la légitimité de cet exploit et sur l'altruisme du héros. Autre fait à noter, quelques-uns des Douze Travaux furent exécutés en Arcadie, région idéalisée où l'on vivait en harmonie avec la nature et où florissaient le chant et la musique. C'est en Arcadie qu'Hercule dut affronter les oiseaux du lac Stymphale, qui dévoraient les récoltes et tuaient les voyageurs.

6

Parfois c'est comme si j'avais complètement oublié de voler. Jeunes, lorsque nous en avions marre de jouer dans le champ, nous arrêtions tout, nos cueillettes, nos jeux, et nous nous couchions sur le dos pour regarder le ciel. Souvent, toujours, des avions le traversaient, le striant de longues traînées de fumée blanche. Le reflet du soleil faisait scintiller l'avion lui-même, qui avançait, le plus oublieux du monde, le plus oublieux de nous, sur la terre, qui n'avions rien de mieux à faire que de le regarder passer. Ainsi étendue sur le dos, je devenais, je deviendrais pilote d'avion. Rien ne me semblait plus merveilleux. Mais voilà. Quelque chose s'est produit. C'est comme si j'avais oublié de voler. Je suis devenue terrestre. J'avance près du sol, je ne défie plus la gravité. Voir des oiseaux au plus haut de leur vol me fascine, me rappelle vaguement quelque chose, une possibilité, une attitude, une altitude, mais cela s'arrête là. J'ai complètement oublié de voler. Je ne sais plus voler. J'ai désappris.

Sous le signe du Scorpion, la Maison VIII est la maison des transformations profondes, y compris la mort, prise ici dans son sens large, en ce qu'elle est séparation de ce qui est ancien. En plus d'être la maison des choses mortes, comme les antiquités, l'archéologie, la numismatique et la philatélie, la Maison VIII pousse à franchir les grandes étapes de la dégénérescence et de la mort en vue d'une renaissance. C'est la maison des maladies graves, des blessures et des accidents, des adversaires et de tout obstacle à franchir pour prendre pleinement possession de sa destinée. C'est aussi la maison de l'aide sous toutes ses formes que l'on reçoit des autres et de toute espèce de transaction financière. On y retrouve aussi les héritages, les legs, les testaments et les avantages éventuels découlant de la mort d'autrui. C'est aussi la maison des revenus qui s'obtiennent facilement ou sans véritable travail comme les rentes, les monopoles, les privilèges, les droits d'auteur et les exclusivités commerciales. Les taxes, la retraite et l'assurance-vie figurent aussi au menu de cette maison qui invite à dépasser les sécurités que l'on connaît pour aller vers l'inconnu de soi-même. Car la Maison VIII est celle du renouveau spirituel et des mystères, de l'instinct sexuel en tant que capacité et profondeur émotionnelles, de la criminologie, des sciences occultes et de l'au-delà.

Le soir d'Halloween, nous nous dépêchions de nous rendre chez les Babin pour avoir de la tire. La bonne tire absolument claire et dure comme celle de madame Babin était devenue une rareté. Même le soir d'Halloween il n'y en avait pas pour tout le monde. C'est pourquoi ceux qui tenaient à en avoir ne devaient pas tarder à se rendre dans le quartier de la rue Beauséjour. D'ailleurs, les rues parallèles Sainte-Croix et Grand-Pré avaient souvent, elles aussi, des choses hors de l'ordinaire à offrir.

Or, il semble que nous habitions juste un peu trop loin, car madame Babin venait toujours de donner ses dernières tires quand notre groupe arrivait. Sur le trottoir de l'entrée, le mot se passait :

– Y en a pus...

– Y reste pus de tire...

Cela se disait sur un ton sobre, factuel. C'était le sort dans son expression grave et élémentaire. Après ça, l'ordre dans lequel nous parcourions le reste du voisinage n'avait plus vraiment d'importance.

Comme l'astrologie et la mythologie, les rêves constituent eux aussi des points de repère susceptibles de nous éclairer sans nous obliger à quoi que ce soit. Certains rêves sont néanmoins plus révélateurs, plus engageants que d'autres. Par exemple, dans ce rêve fait sur la plage par un bel après-midi d'été, je me revois bébé, les yeux fermés, couchée dans mon petit lit d'hôpital. Je viens de naître. Des mains arrivent, se mettent à me caresser le corps, à me masser dans tous les sens. Une sensation de chaleur et de bonheur m'envahit. Je prends alors conscience que je vis, et j'éprouve la certitude absolue que je marcherai un jour.

Pourtant, je fais souvent un rêve contraire à celui-là. Dans ce rêve, je souffre d'une envahissante douleur aux jambes, qui fait en sorte que mes jambes ne parviennent qu'à grand-peine à me porter et à me faire avancer. Cette douleur va toujours en s'intensifiant quand je dois à tout prix parcourir une distance donnée, traverser une rue, par exemple. Dans ce cas, à cause de la douleur qui m'empêche de marcher d'un pas rapide, je crains d'être heurtée par l'automobile qui se dirige immanquablement vers moi. Le danger est chaque fois bien réel, mais je réussis toujours à me tirer d'affaire. Je persiste malgré la douleur et je finis par me rendre, en me traînant presque, à un endroit où je serai en sécurité, où je pourrai m'asseoir et me reposer. Ce n'est pas toujours la menace d'un danger physique qui me pousse à avancer. Parfois c'est par pur entêtement que j'aspire à me rendre quelque part. Une fois, je devais escalader une ruelle en pente pour atteindre un dépanneur tenu par des Juifs vendant quelque spécialité rare. Ma douleur aux jambes eut beau m'éreinter, elle ne me détourna guère de mon objectif. La douleur elle-même semble toujours être le point d'aboutissement de ce rêve récurrent, et je suis toujours surprise de me réveiller dans un corps non souffrant. Mais la trace de cette douleur ne s'efface jamais complètement dans mon esprit.

Traversant l'intersection du coin de Dieppe pour se rendre au garage Esso, Chuck Bernard aperçoit une fissure dans l'asphalte, puis une autre, et encore une autre. Tout à coup, Chuck Bernard voit que l'asphalte est rempli de fissures, toutes de couleurs différentes, qui se transforment tout naturellement en un réseau de fils multicolores flottant à la surface d'un ruisseau. Chuck Bernard continue de traverser le carrefour à pied, mais de son point de vue, il marche dans un ruisseau en tirant des centaines de fils multicolores autour de sa taille. Plus il avance, plus cela lui demande d'effort. À un moment donné, il se retourne et voit le grand V qui se dessine dans l'eau derrière lui. Puis il reprend sa traversée, mais les fils lui enserrent maintenant la taille. Baissant la tête, Chuck Bernard regarde son ventre, voit que les fils lui ont tranché le corps, qu'il est coupé en deux à la taille. Chuck Bernard trouve que tout le monde devrait avoir pris du L.S.D. au moins une fois dans sa vie, simplement pour avoir une meilleure idée de ce que cache la réalité.

— Je veux dire de la bonne L.S.D., comme y en avait dans ce temps-là.

Le projet consistait donc à écrire un livre portant très largement et très librement sur le thème de l'espace : espace physique, espace mental, et les façons que nous avons de nous y mouvoir. De nous émouvoir. Car l'espace n'est pas une notion strictement physique. Il n'est pas qu'une étendue, mesurable ou non, se situant entre un quelconque chaos des origines et le monde organisé que nous connaissons. Pour exister en toute légitimité, un espace n'a besoin que d'une seule chose : que l'on s'y meuve. Il peut être un espace proprement physique, répondant à la définition des trois axes et des six directions, tout comme il peut être de nature psychique et représenter l'univers dans lequel évoluent les potentialités. Ces deux dimensions, l'une intérieure, l'autre extérieure à l'être humain, confèrent à l'espace une étendue doublement incommensurable. Dans une dimension comme dans l'autre, il y a dilatation vers l'infini et difficulté de localiser un centre.

Le portrait d'ensemble mettra donc du temps à émerger. D'où la symbolique de l'escargot, qui avance lentement, en portant sa maison sur son dos, symbole du mouvement dans la permanence, symbole aussi du voyage du pèlerin en direction d'un centre intérieur. Il faut aussi s'attendre à ce que surgissent nombre de digressions, de pistes plus ou moins claires, plus ou moins significatives. L'auteur de fiction n'est pas le maître absolu du sens de son œuvre. Par exemple, au moment où j'écris ces lignes, le Personnage, s'il existe, demeure une énigme. Peut-être cette énigme se résoudra-t-elle en cours de route, mais il ne faudrait pas trop y compter. Il est possible qu'il s'agisse tout au plus d'un Très Éventuel Personnage, qui au départ pourrait s'appeler TEP justement. Au féminin, Teppette, précédé d'un s, donnerait Steppette, petit saut, petite danse, petite démonstration de prouesse, généralement exécutée dans l'espace.

Deuxième partie

Thérapie d'exposition

7

Ce jour-là, je trouvai en rentrant un message m'instruisant de rappeler dès que possible l'attaché de presse du ministre des Affaires intergouvernementales de la province. La note me surprenait ; je n'avais aucune idée de ce qu'on pouvait bien me vouloir. Mon imaginaire n'avait encore trouvé aucune application politique et je ne voyais pas de changement à l'horizon dans ce sens. Cet appel reçu du bureau du ministre prit donc des proportions inouïes et me poussa aux fabulations les plus extravagantes. Soudainement, tout devenait possible, même les occasions les plus inespérées. Peut-être qu'un auteur du Québec avait manifesté de l'intérêt pour mon travail, au point de vouloir venir travailler avec moi à Moncton, dans le cadre d'une entente culturelle conclue entre les deux provinces. Mieux encore, peut-être que la réalisatrice de *Bouillon de culture* avait abordé le ministre lors d'une récente mission au Quai d'Orsay et l'avait supplié de me faire venir à Paris pour participer au célèbre plateau. C'était Bernard Pivot lui-même qui insistait. Il avait lu mon dernier livre, qui l'avait fort amusé. Du coup ma vie se mit à défiler sous mes yeux : Dieppe, la Marsh Canteen de Hard Time Gallant et les *lèches* qu'on déterrait pour se faire quelques sous, la petite école grise en bois et le Palm Lunch de Moody Shaban, le marais en feu et les touffes d'herbe figées dans la glace du marais gelé, les petites fraises des champs, les trois ruisseaux et les pétroliers Irving sur la Petitcodiac, tout cela j'étais prête à le raconter, on n'aurait qu'à m'en donner le signal. Les mots ne demandaient qu'à sortir. La vie n'avait peut-être jamais été racontée tout à fait de cette façon. On m'interrogerait avec un intérêt authentique et mes réponses couleraient, limpides et sincères. On aurait l'impression de découvrir quelqu'un. Un germe de reconnaissance, tout à coup, comme ça, après tant d'années. On m'écouterait enfin. Et ce serait comme une seconde naissance, tout aussi importante, sinon plus, que la première.

Quand j'arrivai chez Marie, elle était en train d'éplucher son poulet pour faire un fricot. Je pris mon courage à deux mains, car l'odeur du bouillon de mon peuple me tombe parfois sur le cœur et il m'est de plus en plus difficile, contrairement à mes compatriotes, de tomber en pâmoison devant un bol de fricot. Tout de même, la principale chose à retenir est que je ne virai pas de bord. Parce que lorsqu'on est agoraphobe on vire souvent de bord, presque chaque fois qu'on n'arrive pas à se détendre dans l'adversité. Cela s'appelle l'évitement.

Au début, Marie n'était pour moi qu'une bonne voisine. Ce n'est que par les petits qu'elle devint une amie à qui je peux tout raconter. Enfin, presque tout. Elle a deux enfants qui lui donnent du fil à retordre parce que trop gâtés, et elle le sait fort bien, mais cela ne l'empêche pas de continuer à les gâter. J'aime les gens qui transgressent, qui commettent consciemment leurs erreurs.

– Julien, ramasse tes affaires avant que quelqu'un s'enfarge dedans avec ses poutines, ou ben je t'écrapoutille !

C'est aussi le franc parler de Marie qui finit par me la rendre attachante. J'avais eu droit à des échantillons savoureux les quelques fois où nous nous étions côtoyées en nous acquittant de nos devoirs parentaux. Il n'y a rien de mieux qu'une vente artisanale de poutines râpées au profit d'une quelconque activité parascolaire pour vous faire sortir votre venin existentiel et vous demander quelle idée a bien pu vous prendre un jour d'engendrer tous ces petits êtres qui ne cessent de se tortiller dans le mauvais sens autour de vous. Et cela même si l'activité en question a quelque mérite à vos yeux. Dans ce cas-ci, il s'agissait d'un voyage-échange avec des écoliers de Meune-sur-Saône.

– En France asteure ! Y sont-ti pas chanceux !

Sous le signe du Gémeaux, la Maison III est la maison du contexte dans lequel on vit. C'est la maison des frères et des sœurs, des cousins et des voisins, gens non choisis qui reflètent malgré eux nos aspirations personnelles. C'est la maison des lieux publics de son environnement, des déplacements de courte distance et des moyens de transport. C'est la maison de la mobilité physique, et celle aussi de la mobilité sociale : elle pousse à aller vers les autres, à sortir de l'anonymat. La Maison III porte donc sur la capacité de répondre à cette ambition d'élévation dans l'échelon social, ainsi que sur les occupations et les préoccupations qui en découlent. La Maison III est aussi la maison des facultés de l'esprit : esprit pratique et intelligence, talents innés, compréhension, capacité d'apprentissage et puissance de l'entendement, aptitude à transiger avec l'entourage, et sentiment de faire partie d'un réseau, par opposition à la solitude et à l'inertie de l'ennui. C'est la maison qui permet de voir jusqu'où on peut aller, tant sur le plan physique que sur le plan psychologique. Maison de la communication sous toutes ses formes, la Maison III est aussi celle de l'écriture.

Le mieux (ou, pour moi, le pire !) était donc arrivé et j'annonçai à Marie que je devais me rendre à Paris pour participer à un plateau de *Bouillon de culture*. Il fallut bien sûr que je lui explique de quelle sorte de bouillon il s'agissait au juste et qui était Bernard Pivot. Bref, comment la gloire elle-même avait courbé l'échine pour ramper jusqu'à moi.

– Tu veux dire que ça serait comme la vieille *Saturday Night Live* avec David Letterman, ben sans les sketchs pis les annonces ?

Je n'osais pas admettre que je n'avais jamais regardé *Saturday Night Live* de ma vie.

– De quoi de même.

Je sentis Marie douter, pendant une fraction de seconde, de l'intérêt d'une pareille émission. Mais comme toujours elle se laissa emporter par la confiance et se réjouit pour moi de toutes les manières possibles, m'avouant qu'elle avait toujours su qu'il finirait par m'arriver quelque chose d'excitant. Les os de sa poule à bouillir trempèrent dans leur jus plus longtemps qu'à l'accoutumée avant d'être égouttés, puis jetés dans un des six bacs de recyclage – papier ordinaire, papier journal, plastique, métal, verre et déchets organiques – parfaitement alignés dans la nouvelle armoire postsurconsommation conçue pour la société nouvelle. Marie me demanda quand je partirais, où je logerais, si j'irais seule et quoi d'autre que je ferais. Et c'est là que je me trouvai plus ou moins obligée de lui faire des aveux.

En entrant dans la boutique, je demandai d'abord à me faire servir en français. Un Brayon fier et robuste se présenta à moi. Je le soupçonnai d'être le propriétaire du véhicule amphibie recouvert de boue que j'avais aperçu dans le terrain de stationnement en arrivant. J'étais à peu près certaine d'avoir affaire à un de ces Madawaskayens aguerris, qui ne vivent qu'en fonction des fins de semaine qu'ils passent à explorer d'interminables chemins forestiers dans l'espoir de découvrir, en bout de parcours, une montagne, un nouveau lac et, avec un peu de chance, des orignaux dans la brume. Je connais personnellement de ces gens et, si j'admire leur penchant pour les grands espaces et les coins reculés, je dois dire que j'ai de grosses et bonnes raisons personnelles d'oublier qu'ils existent.

J'expliquai au vendeur que je voulais me procurer un téléphone cellulaire, mais que je n'y connaissais rien. Il me dirigea vers un étalage regorgeant de modèles divers, aux avantages tous plus séduisants les uns que les autres. Je lui expliquai que je voulais un petit appareil portatif plutôt léger. J'hésitai entre un modèle à brancher dans l'allume-cigare et un appareil à piles, tout à fait transportable. Bien entendu, je ne voulais pas payer plus cher que nécessaire, surtout pas pour des fonctions qui ne me seraient d'aucune utilité.

Le jeune vendeur fit des pieds et des mains pour bien me servir. Je n'en demandais pas tant. À vrai dire, j'aurais aimé avoir quelques minutes de silence pour réfléchir tranquillement au modèle et aux avantages qui répondraient le mieux à mes besoins. L'énergique vendeur me bombardait tantôt de renseignements techniques auxquels je ne comprenais presque rien, tantôt de questions sur la nature de mon métier et sur l'utilisation que je ferais de mon *cellulaire*. Je lui expliquai en gros que je n'en ferais qu'un usage minimal, qu'il me servirait surtout à rester en contact avec des gens, ma famille par exemple. Cette information ne sembla pas le satisfaire. Il posa encore quelques questions, et devant mes réponses plutôt évasives, il me déclara sur un ton de légère impatience :

– Si je savais c'est quoi ta *business*, je pourrais mieux t'aider.

Le pauvre. Il voulait tellement bien faire qu'il en était fatigant. Je n'avais pas particulièrement envie de me confier, de lui dire que j'étais agoraphobe, que je ne pouvais aucunement tolérer les grands espaces, que l'appareil me servirait à appeler au secours lorsque je me trouverais en situation de panique. Je ne prolongeai donc pas l'entretien et optai pour un modèle populaire, décision qui sembla lui plaire. Pendant qu'il remplissait de multiples formulaires, je lorgnai mon nouvel appareil du coin de l'œil. Je n'étais pas encore tout à fait vendue à l'idée d'adopter une telle béquille, mais elle ferait au moins le bonheur de mon psychologue, qui y verrait un autre signe de ma volonté ferme de guérir.

À part quelques proches que j'avais forcément dû mettre au courant, ma *business*, je n'en parlais à peu près pas. C'est un fait que les agoraphobes ont absolument honte de leur névrose. Des peurs irrationnelles qu'on a beaucoup de mal à comprendre et à accepter soi-même ne sont pas ce qu'il y a de plus agréable à partager avec les autres. Surtout quand on n'a pas l'air d'avoir de problèmes. Comme s'était exclamée Marie quand je lui avais expliqué ma situation :

– Toi ? Ben t'as sitant voyagé !

Voyager, c'est une façon de parler. J'étais jeune et déterminée. Je croyais que ces sensations physiques étranges étaient plus ou moins normales, attribuables au fait que je m'éloignais physiquement et psychologiquement de mon entourage d'enfance. Je ne pensais même pas que ce que j'éprouvais, c'était de la peur, tellement je voulais aller de l'avant, tellement je ne voulais pas rester en arrière. J'avançais donc malgré tout, malgré moi, cherchant mon calme un peu partout, trouvant ici et là des oasis de repos où tout était bien, avec des gens sympathiques sur qui je pourrais compter si jamais la chose se manifestait et que mon corps et ma tête se mettaient à y répondre, bref si jamais ça éclatait. Car un des grands problèmes de l'agoraphobe, c'est justement cette possibilité de se trouver mal sans pouvoir compter sur l'appui de quelqu'un qui comprendra de quoi il s'agit au juste, ou qui donnera au moins l'impression de comprendre, et qui saura comment réagir.

Tout de même, Marie n'en revenait pas. Même qu'elle en rajouta :

– Ben, si t'avais gagné le prix France-Acadie l'année passée, comment c'est que t'aurais fait pour aller le chercher ?

Il fallut donc que je lui explique, à Marie, que, justement, j'étais soulagée de n'avoir jamais gagné ce prix-là parce que je ne pouvais pas m'imaginer « aller le chercher ».

8

Je prenais un risque en me confiant à Marie. Je craignais de me faire dire que les choses iraient bien si je décidais une fois pour toutes de mettre ma confiance en Dieu. Marie trouve que je me complique la vie en ne croyant pas en Dieu. Pour elle, il est simple d'avoir la foi alors pourquoi s'en priver et ne pas mettre toutes les chances de son côté.

Mais Marie ne me parla pas de Dieu. Comme elle n'avait jamais entendu parler d'agoraphobie, elle commença par m'écouter, me demandant de temps à autre des précisions, s'éclatant parfois de rire quand elle voyait ce que l'agoraphobie avait de ridicule et d'intenable. Ses yeux se remplirent d'eau quand je lui expliquai que j'étais incapable de traverser seule, en auto, le portage qui sépare Fox Creek de La Hêtrière, pour me rendre dans la vallée de Memramcook. Il faut dire que Marie pèse plus de deux cent cinquante livres et que les larmes lui venaient surtout à l'idée d'être privée des excellentes tartes qu'on sert au restaurant Chez LeBlanc, en face du terrain de baseball de Saint-Joseph, dans la Vallée. Elle trouva moins grave que je ne puisse me rendre seule à Shédiac de peur de me trouver mal sur l'autoroute.

– T'as juste à prendre le vieux chemin. Même que je dirais que c'est plus beau.

Sous le signe du Sagittaire, la Maison IX est la maison de l'esprit supérieur qui inspire la religion, la loi, la science, les idéaux et les gouvernements. En ce sens, elle chapeaute la philosophie, l'éducation supérieure, la psychologie et toute forme d'étude du mental, notamment par le truchement des rêves et des visions. Maison des longs voyages de la pensée et des spéculations intellectuelles, des hautes aspirations et des expériences spirituelles, la Maison IX est aussi celle de l'étranger et des étrangers, des longs voyages et du commerce majeur. Maison d'expansion, d'extension vers la masse, elle est aussi la maison de la publicité et de la publication. La Maison IX ouvre une perspective plus large sur la vie : elle pose la question du sens de la mort et aspire à décrire l'indescriptible. Maison de la continuité, elle veille à la préservation de l'héritage par le truchement de rituels et de symboles ; maison des leçons de vie, elle incite à l'objectivité et à la connaissance.

Marie avait besoin de comprendre.

– Ben, quand ça te prend, quoi c'est que tu crois qui va t'arriver ?

– C'est dur à dire. Je sais juste que je me sens vraiment mal. Le cœur me débat, mes jambes sont molles pis j'ai de la misère à respirer. Au commencement je croyais que j'allais prendre une attaque de cœur. On dirait que je pourrais évanouir ou virer folle, un des deux. Dans un avion, j'aurais juste peur de me mettre à crier ou à dire n'importe quoi, et que personne comprendrait.

Le délire préoccupe moins les psychiatres qu'il ne tracasse la population en général, qui est souvent portée à qualifier de folle une personne en proie à une certaine forme de perte de raison. Il est vrai que le délire dénote un quelconque déséquilibre. Dans certains cas il s'agit de la manifestation, plus ou moins anodine, d'une sensibilité psychologique particulière, alors que dans d'autres cas le délire est à la racine d'un problème complexe de relation au monde. Il convient donc de distinguer le délire de circonstance du délire vrai, si l'on peut dire, en accordant davantage de considération à l'état psychologique de la personne délirante. Par exemple, le délire est considéré comme tout à fait normal lorsqu'il correspond à l'expression d'une humeur ou d'un état émotif. Affirmer qu'on mangerait un cheval au lieu de dire qu'on a faim exprime un sentiment d'exaltation ou de bien-être qui n'a rien à voir avec un délire maladif. La licence poétique est du même ordre : on étire, on exagère le réel pour mieux l'exprimer ou pour le rendre plus pittoresque. De la même façon, toute personne sous l'effet d'une grande excitation ou d'une grande confusion peut se mettre à divaguer ou à parler de façon décousue. Mais il est tout probable qu'elle reviendra à la raison une fois l'équilibre émotif rétabli. Ainsi, vu sa fragilité particulière, il serait normal qu'une agoraphobe à bord d'un avion se mette à délirer en plein ciel. Ou encore qu'elle éclate en sanglots. Ce comportement irrationnel ne s'étend cependant pas à toutes les facettes de sa vie avec le même caractère de permanence et de conviction profonde que l'on retrouve chez les personnes souffrant d'illusions, de fantasmes, d'hallucinations ou de psychose paranoïaque. Bref, nous bénéficions tous et toutes d'une certaine marge de manœuvre en matière de délire. Tous et toutes, nous avons droit à nos petits délires.

Je me doutais bien que cette histoire d'avion sèmerait la confusion.

– Ben, la peur en avion, c'est-ti pas de la claustrophobie, ça ?

– C'est tout relié. C'est pour ça qu'asteure les psychologues parlent de trouble panique, avec ou sans agoraphobie. Moi c'est avec. Ça qu'est tannant, c'est qu'une crise peut quasiment m'arriver n'importe quand, chaque fois qu'y a comme une distance à traverser. Pis même une petite distance. Ça peut m'arriver dans une rue avec pas de monde, à la piscine aussi ben qu'à la plage, à un feu rouge ou dans le bois. Pis, ben sûr, dans tous les moyens de transport. Quasiment partout. Dans les livres, ça dit que c'est une distance psychologique.

Marie réfléchissait à tout cela. Je voulus la rassurer.

– Ben quand même, j'suis loin d'être la pire. Y en a qui sortent jamais de leu' maison tout seuls. D'autres qui peuvent pas rester tout seuls à la maison. Aux Agoraphobes Anonymes, j'ai même entendu parler d'une femme qui marchait à quatre pattes dans sa maison, pour pas voir dehors quand a passait devant un châssis.

– Seigneur de la vie !

– C'est surtout les femmes qui ont ça.

– Comment c'est que t'appelles ça encore ? Angoraphobie ?

– A. Agoraphobie. Dans les pires cas, ça peut mener à la dépression, à l'alcoolisme ou au suicide.

– Je croirais.

Les phobies, ces peurs qui parviennent à s'ériger en système dans la psyché d'un être humain, font partie des névroses d'anxiété. Elles naissent et croissent dans la dimension affective de la personnalité, tout comme les troubles psychosomatiques et les psychoses. L'anxiété apparaît lorsqu'il y a conflit entre désir et peur – elle naît de l'acte manqué, pour reprendre l'expression de Freud – et acquiert son caractère phobique lorsqu'elle se fixe sur une idée, une situation ou un objet, la plupart du temps symbolique, qui reflète les désirs non acceptés. D'où le pouvoir d'attraction et de fascination qu'exerce le noyau de la phobie sur celui ou celle qui en souffre. D'où également la possibilité que la phobie s'installe au cœur de ses préoccupations, au point de devenir une quasi obsession. Au bout du compte, c'est toujours le comportement d'évitement qui confirme la phobie. La personne atteinte fuira toujours la situation qui éveille le conflit tumultueux enraciné dans son inconscient, conflit dont la gestion, même inadéquate, surtout inadéquate, requiert une énergie hors du commun.

Il existe près d'une centaine de phobies répertoriées, certaines tirant plus à conséquence que d'autres. Il y en a qui sont très répandues, d'autres qui sont plutôt surprenantes de prime abord, mais leur potentiel est vite reconnu pour peu que l'on y réfléchisse : la triskaidekaphobie par exemple, c'est-à-dire la peur de se trouver treize à table, ou l'autodysosmophobie, la peur de répandre des mauvaises odeurs, ou encore la basophobie, la peur de devoir marcher. On peut concéder aux phobies leur nature divertissante sans pour autant dénigrer les victimes des frayeurs qu'elles inspirent.

9

Marie voulait m'aider.
– Y aurait-ti pas une pilule que tu pourrais prendre ?

Je ne lui en voulais pas de poser la question, mais la réponse était loin d'être simple. Bien sûr, des pilules, il y en a de toutes les couleurs et de toutes les sortes. Je me gardai tout de même de parler de la petite pilule verte qu'on avait donnée aux soldats chargés de missions dangereuses lors du Débarquement, pilule qui provoquait la mort instantanément et qui devait être avalée par ceux qui seraient surpris par l'ennemi, afin d'éviter qu'ils ne divulguent des informations secrètes. Car contrairement à moi, Marie s'émeut de tout, y compris du suicide. Elle aurait peut-être conclu que j'étais dépressive quand, au fond, je suis bien plus révoltée que dépressive.

Je tentai donc d'expliquer à Marie que puisque ce sont surtout les femmes qui souffrent d'agoraphobie, le fait de leur prescrire un anxiolytique ressemble trop à une solution de facilité – comme un baume qu'on mettrait sur une plaie –, à une façon de les faire taire et de reporter aux calendes grecques toute nécessité d'examiner la racine du mal. Le médicament, en calmant le malaise, risquerait d'atténuer aussi le questionnement sur sa cause. J'ajoutai qu'un bon nombre d'agoraphobes abhorrent les médicaments : exaspérées de se voir si dépendantes de leurs proches pour leurs moindres déplacements, elles détestent l'idée même de la dépendance. Pour elles, aucune dépendance ne peut être synonyme de guérison.

Pour être sûre que Marie comprenne bien, je lui parlai de la source qui se trouve à une quinzaine de minutes de route de chez nous, où beaucoup de gens aiment se rendre puiser de l'eau pure et claire le plus gratuitement du monde. Marie ne connaissait pas cet endroit.

– En tout cas, pour moi, cte source-là, c'est rendu une montagne. Pourtant, y a des maisons presque tout le long de la route. O. K., c'est pas du grand paysage, ben c'est pas la brousse non plus. Pis c'est plusse anglais, ben me semble que je devrais pouvoir y aller pareil.

Marie ne bougeait plus du tout. J'avais un bon sujet.

– Le pire c'est que j'arrête pas d'y penser. Je veux pouvoir y aller quand ça me le dit, mais je m'en sens pas capable, pis ça me chavire. J'y pense tous les jours. J'essaye de me conditionner à y aller, je pèse tous les pours et les contres, pour finalement rester à la maison parce qu'y a trop d'affaires qui jouent contre moi. Soit qu'y a trop de nuages, que j'ai pas assez de temps, que c'est trop anglais, que l'auto pourrait tomber en panne, qu'y aura personne à qui je pourrai téléphoner, qu'y a rien de distrayant à la radio, rien de distrayant dans ma vie. Y a tout le temps de quoi qui m'arrête. Une vraie folie !

Marie avait l'air de comprendre.

– Moi, je crois que tu y penses trop.

– Probablement.

– ...

– Crois-tu, toi, qu'un homme se ferait souffrir à ce point-là pour de l'eau ?

La question s'installa sur le front de Marie, qui appuya ses mains dégoulinantes de graisse de poulet sur le rebord de ses plats.

– Si y avait une *tappe* d'eau de source commerciale pas loin de la maison, où c'est qu'y pourrait remplir ses cruchons dans le temps de le dire pour que'ques piasses, un homme se donnerait-ti la peine d'aller chercher de l'eau là où c'est qu'y sait qu'y va avoir peur ?

Marie ne sut quoi répondre.

– Pis si un homme envisageait même pas de se donner de la misère de même, comment c'est qu'y pourrait même i-ma-gi-ner la possibilité d'avoir peur ?

Marie me regardait d'un air soupçon. Elle n'était pas sûre de tout comprendre mais se risqua quand même.

– Tu veux dire qu'un homme qui pense pas plus loin que son nez serait pas assez smarte pour avoir peur ?

C'était une autre façon de le dire. Et Marie de conclure d'elle-même :

– Non, je connais pas beaucoup d'hommes qui se donneriont sitant de misère que ça juste pour de l'eau.

Tous les êtres humains ne sont pas constitués de la même façon, c'est-à-dire qu'ils n'ont pas tous les mêmes capacités d'adaptation. Des facteurs génétiques et socio-culturels sont en cause, tout comme peuvent l'être les repères de la perception. Une mauvaise adaptation peut aussi résulter d'un conditionnement : les femmes, par exemple, sont plus enclines à présenter des névroses phobiques que les hommes, possiblement parce que la place qui leur revient dans la société les y prédispose. Les statistiques démontrent que l'anxiété prend le plus souvent le chemin de la névrose phobique chez la femme, alors que chez l'homme, ce sont l'alcoolisme et la toxicomanie qui priment. Pour ce qui est de l'agoraphobie, c'est-à-dire la peur des grands espaces ou des espaces libres, trois quarts des personnes qui en souffrent sont des femmes.

Les phobies ont également tendance à s'enraciner davantage chez les adolescents et les jeunes adultes. Cette sensibilité des jeunes est particulièrement instructive, notamment en ce qui a trait au passage de l'adolescence à l'âge adulte : lorsque la difficulté d'adaptation à la vie adulte est trop grande, comme c'est souvent le cas dans les sociétés en rapide évolution, les jeunes ont souvent le réflexe de refuser d'y entrer, tout simplement. Tout refus de ce genre n'est cependant pas un signe d'inadaptation. Un refus de s'adapter à une réalité considérée comme néfaste peut découler d'un choix conscient pointant vers un malaise social plutôt que biologique. Quant aux nouvelles formes d'anxiété, elles vont de pair avec l'évolution d'une société donnée : la peur en avion, par exemple, est apparue avec l'avènement des voyages commerciaux.

Marie commençait à me connaître. Ce n'était pas la première fois qu'elle lisait dans mes pensées.

– Tu vas y aller quand même, j'espère.

– ...

Elle me regarda dans le blanc des yeux.

– Y faut que tu y ailles. Tu peux pas nous faire ça.

– ...

– Penses-y pas. Tu vas y aller. Y a sûrement une manière.

Et là-dessus, d'un geste décidé, elle souleva la passoire contenant les os de poulet, la secoua pour en tirer quelques dernières gouttes et versa son contenu machinalement dans le bac à déchets organiques.

– C'est assez commode, cte nouvelle armoire-là. J'sais pas comment c'est qu'on faisait avant.

Bruegel aurait été âgé d'environ vingt-trois ans, en 1551, quand il entreprit le traditionnel voyage en Italie des artistes et penseurs de son époque, car la mode était alors à l'italianisme, c'est-à-dire à la grâce des beautés anciennes et lointaines. Bien qu'il venait tout juste d'être admis dans la Guilde de Saint-Luc, à Anvers, Bruegel, comme bien d'autres artistes de son entourage, aurait eu du mal à gagner sa vie pendant cette période économiquement difficile, et c'est ce qui l'aurait poussé à faire ce voyage classique et à parachever ainsi sa formation. On soupçonne qu'à cette époque les artistes d'Anvers se marchaient un peu sur les pieds puisqu'ils étaient bien plus nombreux que les boulangers et les bouchers, dont le gagne-pain était assuré parce qu'ils vendaient, eux, des denrées essentielles.

Il se peut aussi que Bruegel ait entrepris ce voyage à l'instigation de son éditeur, Jérôme Cock, propriétaire d'un atelier de gravure et d'une boutique d'estampes parmi les plus actives des Pays-Bas. Cock, qui aspirait à produire une série de gravures de grands paysages alpestres, aurait incité Bruegel à faire ce voyage pour qu'il croque des paysages en cours de route, et tout indique que c'est ce qu'il fit. Certaines de ses ébauches ont été repérées dans les travaux d'autres artistes à l'emploi de monsieur Cock, qui édita sa série « Grands Paysages » en 1555.

Mais autant de bonnes raisons de partir n'auraient peut-être pas suffi si Bruegel n'avait été personnellement curieux de connaître des paysages et des gens nouveaux. Quoi qu'il en soit, sa décision de faire ce pèlerinage et la façon dont l'expérience a par la suite imprégné son œuvre font dire à certains que ce voyage marque le véritable début de la carrière artistique du grand peintre. Comme bien d'autres détails de la vie de Bruegel, les dates de son départ d'Anvers et de son retour en terre natale sont imprécises, mais il semblerait que le voyage dura trois ans. On ne sait pas non plus s'il partit seul ou accompagné, et on ne connaît pas l'itinéraire exact qui le conduisit jusqu'en Sicile. En se référant à l'époque, on devine qu'il parcourut en moyenne cinquante kilomètres par jour, à cheval, la plupart du temps à la lumière du jour et dans le silence des contrées, et qu'il fut souvent contraint de s'arrêter pour laisser passer des troupes.

Le fait de se sentir parfaitement en confiance dans son environnement représente l'un des plus grands atouts psychologiques dont peut bénéficier l'être humain. Car toute peur de l'environnement mène inexorablement à une forme de dépérissement ou d'enfermement, quand ce n'est pas carrément à une sorte d'esclavage. C'est probablement à cause de ces conséquences fâcheuses que la peur a fini par prendre une coloration négative, car a priori, en tant qu'émotion, elle devrait être une chose neutre, simple réaction à une situation.

La dimension affective de la personnalité, d'où émane la peur, est l'un des trois grands volets du psychisme humain : le premier volet englobe les activités cognitives, c'est-à-dire les processus ayant trait à la conscience et à la connaissance ; le deuxième volet regroupe les processus affectifs, c'est-à-dire ceux qui recouvrent les sentiments et les émotions ; le troisième volet rassemble les processus conatifs, qui ont trait aux dynamiques de la motivation humaine. Essentiellement, ces trois volets traduisent les forces en jeu dans les processus de connaître, de sentir et d'agir.

L'émotion se prête difficilement à l'analyse, mais comme en témoigne sa racine, le terme sous-entend un mouvement, un déplacement. Dans les meilleurs cas, le mouvement de l'émotion provoque une espèce de réorganisation intérieure des sens qui favorise, à plus ou moins brève échéance, une adaptation à l'environnement. Au-delà d'une simple conduite, l'émotion serait donc une réponse adaptative adéquate de l'être humain. Dans les pires cas, c'est-à-dire comme désordre de la conduite, l'émotion est tout bêtement une réponse inappropriée à un stimulus quelconque. Les tâches trop difficiles, la nouveauté, la surprise et la surmotivation sont la plupart du temps à l'origine des conduites émotives. Souvent l'émotion correspond à l'écart qui sépare les exigences d'une situation des moyens dont on dispose pour y répondre. Ainsi, par exemple, un grand désir de répondre adéquatement à une situation peut affecter négativement la conduite ou le rendement.

Certains pensent que Bruegel commença son voyage en flânant, quittant les Pays-Bas vers la fin de 1551 et traversant petit à petit la France du nord au sud. Il existe des preuves de son passage à Lyon, et l'on croit reconnaître dans une de ses œuvres une vue de Vienne, non loin de Lyon. Il aurait descendu la vallée du Rhône, avec un détour possible à Briançon et au petit hameau de Pont-de-Cervières plus de six mois après son départ, autour du 15 août 1552. Il serait ensuite passé par Avignon avant d'atteindre Marseille, où il se serait embarqué sur un navire qui longea la côte italienne jusqu'au détroit de Messine. C'est au terme de ce parcours que Bruegel aurait croqué sur le vif une vue de Reggio en flammes, ville de Calabre effectivement incendiée par les Turcs en 1552. Il aurait ensuite foulé le sol sicilien et visité Palerme avant de remonter la botte italienne jusqu'à Naples. Il serait passé par Fondi, en route vers Rome où il aurait séjourné assez longtemps à compter de 1553 et d'où il aurait fait plusieurs excursions, notamment à Tivoli. Il se serait ensuite arrêté à Florence, puis aurait visité Pise et l'Émilie, et se serait lié d'amitié avec le grand géographe Scipio Fabius à Bologne. Il se peut que Bruegel ait à ce moment-là voyagé en compagnie d'un autre peintre anversois, Martin de Vos, qui séjourna en Italie de 1552 à 1558.

On pense que Bruegel attendit le printemps de 1554 pour entreprendre la traversée des Alpes, contrée périlleuse à parcourir en hiver. Il aurait d'ailleurs profité du beau temps pour sillonner cette chaîne montagneuse dans tous les sens. Tout indique qu'il a pénétré les Dolomites puis le Tyrol jusqu'à Innsbruck, qu'il a parcouru les Grisons et vu le Saint-Gothard, après quoi il aurait atteint Genève et les abords du lac Léman. Si personne ne connaît la date exacte du retour de Bruegel à Anvers, tous s'entendent pour dire qu'il s'y trouvait incontestablement en 1555.

10

Terry Thibodeau croyait que tout le monde se sentait comme lui, un peu seul, jamais tout à fait comme les autres. Puisqu'il s'était toujours senti ainsi, il ne lui était jamais venu à l'esprit d'en faire de cas. C'était un sentiment qu'il portait naturellement, comme la médaille de saint Christophe à son cou.

Terry Thibodeau se rappelle encore du jour où son institutrice de troisième année lui donna cette médaille. La jeune femme s'était bien rendu compte que Terry avait aimé cette histoire de saint entre toutes. En effet, Terry trouvait que saint Christophe avait eu une bien bonne idée d'aider les gens, et particulièrement les enfants, à traverser les rivières. Pendant très longtemps il avait imaginé le saint posté à côté d'un pont désaffecté de la rivière Wisener, prêt à le prendre, lui, Terry, sur ses épaules, si jamais il repassait par là. Il voyait même, un peu plus haut sur la berge, la petite cabane où saint Christophe dormait et gardait ses provisions fort élémentaires. Terry ne savait pas si la Wisener gelait l'hiver et il osait à peine imaginer ce qu'il advenait de saint Christophe si c'était le cas : restait-il encabané jusqu'au printemps ou en profitait-il pour aller jouer son rôle de saint ailleurs, plus au sud ? Comme Terry n'imaginait le saint passeur que pieds nus et vêtu d'une tunique légère, il lui était cruel de se le représenter en poste l'hiver, assis dans la neige en attendant un passager, ou marchant dans l'eau glacée entre deux berges enneigées.

Sous le signe du Cancer, la Maison IV est à proprement parler la maison de la maison, notamment en ce qui a trait à la propriété, au confort et à l'embellissement du foyer. Maison de la vie privée et de la réclusion, elle porte aussi sur les trésors cachés et les richesses minières. Maison du début de la vie, elle touche à l'hérédité et aux ancêtres, aux racines psychologiques et aux atavismes, c'est-à-dire aux besoins et aux pulsions venant des profondeurs de l'inconscient, d'où surgissent aussi, bien souvent, les œuvres d'art, la musique et la poésie. La Maison IV exprime aussi la direction du destin à la naissance, avec les aides et les entraves qu'il comporte. C'est aussi la maison de ce qu'on hérite dès la naissance et de l'atmosphère familiale dans l'enfance. C'est la maison des bons et des mauvais sentiments, des attachements, de l'être subjectif sur lequel on bâtit le caractère et la vie intérieure. La Maison IV fait passer de l'enfance à l'âge adulte. En ce sens, elle est génératrice de pouvoir. Maison du début de la vie, la Maison IV est aussi celle de la fin de la vie, de la célébrité posthume et du lieu d'enterrement.

S'il avait essayé, Terry Thibodeau aurait eu de la difficulté à mettre le doigt sur les raisons de son sentiment de solitude. Il s'était senti bien entouré pendant toute son enfance sur la rue Lafrance, à Dieppe, entre le chemin des Gauvin et la rue Champlain, pas loin du deuxième ruisseau, à côté de l'atelier de débosselage Champlain qu'exploitaient son père et ses frères. Dans l'adolescence, la tôle ne lui disant rien, il avait travaillé comme empaqueteur au supermarché de la Place Champlain. Il aurait sans doute pu y faire carrière s'il avait voulu, mais la motivation vint à manquer. Après ses études secondaires et de vaines tentatives au collège communautaire et à l'université, Terry tomba en panne d'inspiration : peu de métiers l'intéressaient vraiment et ceux qui l'attiraient lui semblaient hors de portée. À vrai dire, il n'aurait même pas su les nommer. Cela tournait autour de l'inexprimable, de l'incompréhensible. Il vivota donc pendant quelques années à la recherche d'un emploi, à une époque où le travail était de plus en plus rare, jusqu'à ce qu'un jour la chance lui sourit.

Refuge des frustrations pour les uns, désir d'expériences nouvelles pour les autres, le tourisme permet aujourd'hui à l'être humain d'entrer dans un rapport original avec le monde. Cette victoire sur l'espace, conséquence de la victoire sur le temps, permet à chacun de se constituer une sorte de géographie personnelle du monde au gré d'explorations qui concilient le mythe du voyageur à l'image inconsciente qu'on se fait du voyage. Cette tentative de correspondre à des archétypes à la fois anciens et modernes, de joindre les temps en traversant l'espace, n'est pas étrangère au rêve d'immortalité de l'être humain.

Parce qu'il provoque un brassage et une déségrégation des sociétés qu'il touche en redéfinissant le lien social, le tourisme a fait surgir des changements de mentalité et de sens qu'on n'a pas fini de mesurer. Car partout où il passe, le touriste est tenu en dehors du politique aussi bien que de la politique. Cette suspension temporaire de responsabilité est sans doute souhaitable pour les vacanciers, qui cherchent la plupart du temps à fuir les exigences des sociétés hautement industrialisées, mais elle a de toutes autres répercussions sur les sociétés qui dépendent du tourisme pour leur survie économique. Ainsi, les nouvelles normes d'existence attribuables au tourisme ont ouvert de nouveaux chapitres en économie, science des actions logiques, et en sociologie, science des actions non logiques.

En psychologie, quand il n'est pas tout bonnement déconsidéré comme fuite pure et simple, le voyage est perçu comme le reflet d'une quête intérieure, d'une recherche d'un centre, d'un ancrage de vérité et de paix. À ce vaste mouvement des êtres humains dans l'espace planétaire, la psychologie fait correspondre une tout aussi moderne plongée de l'être en lui-même pour ce voyage intérieur que représente la descente dans l'inconscient. Par une sorte de curieux renversement, la psychologie du tourisme et des voyages mène également à une relecture de plusieurs anciens mythes, notamment celui de Poséidon ou de la ruée vers l'eau, celui de Minerve ou de l'éducation populaire permanente, celui de Sisyphe ou du loisir impossible, et celui d'Héliopolis ou de la ville aux entrailles sécurisantes. Une autre image mythique est aussi en cause, celle du désert ou du déséquilibre écologique, associée à l'idée d'un malheur collectif. Tout cela fait qu'à côté de ceux et celles qui voyagent sans se poser de question, il y a les autres, ceux, et peut-être surtout celles, qui cherchent des causes à leur comportement, et qui se demandent pourquoi elles se sentent touristes – êtres à la fois complexes et complexés – à cinq kilomètres de la maison.

Baronne du pétrole et du papier, et de presque toutes leurs industries intermédiaires, du transport maritime au camionnage et du papier journal au papier de toilette, sans négliger les légumes surgelés, eux aussi riches en fibres et vendus à des milliers de prolétaires, la multinationale Irving, après avoir remis en état la longue et célèbre dune de Bouctouche, continua de chercher à faire le bien autour d'elle. Comme Dieu en créant le monde, elle vit que cela était bon. Elle poursuivit donc sur la lancée qui l'avait incitée à aménager un centre d'écotourisme haut de gamme aux abords de la dune toute en plage, avec chalets adéquats pour touristes imprévoyants ou sans relations. Ces chalets étaient parsemés par petits groupes – les touristes sont souvent des gens grégaires – près de l'eau ou le long de la piste cyclable qui encercle la grande région de Bouctouche, partant du fond de la Baie et se rendant jusqu'au Pays de la Sagouine, parcours le long duquel on pouvait assister à des mises en scène inspirées de l'œuvre d'Antonine Maillet. Ces prestations suscitant beaucoup d'intérêt, la famille Irving avait prévu construire à Bouctouche un conservatoire de théâtre privilégiant les rôles découlant de l'œuvre de madame Maillet, histoire d'assurer la postérité de Bouctouche et de tous ces gens célèbres, fictifs ou réels, qui y avaient vu le jour.

Le plus beau, c'est que le centre d'écotourisme roulait à merveille, tout à fait comme une roue de vélo étincelante et bien graissée. Une planification suave et serrée des activités avait fini par allonger l'été malgré lui, et une centaine de personnes accumulaient maintenant suffisamment de *stamps* pour être de nouveau admissibles à l'assurance-chômage, programme que d'audacieux stratèges nationaux avaient débaptisé pour effacer toute notion de loisir ou de temps perdu et rebaptisé assurance-emploi, pour promouvoir l'esprit d'entreprise et le travail productif. Grâce à l'intuition que l'empire Irving avait eu de sa Maison X, presque plus personne n'avait le temps de brandir des pancartes pour dénoncer l'insensibilité et l'inaction des gouvernements en matière de création d'emplois. Même à l'Université de Moncton, l'éventuelle fermeture du département de théâtre ne faisait plus sourciller vu l'ouverture prochaine de l'École nationale de Bouctouche.

Sisyphe ou le mythe du loisir impossible. Dans ce rêve nocturne de janvier, je fais un voyage d'agrément à New York en compagnie d'une amie. Or, sur place, on me rappelle au travail, notamment pour remplacer un routier tombé malade. Je dois conduire son camion à remorque dans un autre État américain, ce qui prendra environ une semaine. Cette affectation ne m'apparaît pas anormale au départ, comme si j'étais déjà camionneuse de métier, ou comme si je savais et pouvais tout faire. Puis j'aperçois le mastodonte en question, garé entre les gratte-ciel d'une rue étroite, coincé parmi des dizaines d'autres véhicules dans une circulation dense. Je vois aussi tous les poteaux et toutes les enseignes que je risque d'écorcher au passage simplement pour quitter la rue. Je prends alors conscience de l'énormité et du ridicule de la tâche. Je réalise que ce qu'on me demande n'a aucun sens, que je n'ai pas l'habileté qu'il faut pour répondre à ces exigences. Je pars donc retrouver mon employeur et je lui explique mes inquiétudes. Trois types dans un petit bureau au sous-sol m'écoutent et arrivent rapidement à la même conclusion que moi. Ils décident aussitôt de trouver quelqu'un d'autre pour s'occuper de ce poids lourd. Tout cela se fait le plus naturellement du monde, en plein bon sens. Je sors du petit bureau, retrouve mon amie dans la rue et nous poursuivons notre voyage sans plus d'histoires. Ce qui me frappe dans ce rêve, c'est le naturel avec lequel se côtoient la normalité et l'absurdité de la situation. Son dénouement harmonieux en fait un bon rêve, mais je m'interroge néanmoins sur la nécessité de passer par là.

11

L'énorme succès populaire de la dune de Bouctouche encouragea les Irving à continuer de réaménager et de récréer le monde autour d'eux. Leur regard se tourna tout naturellement vers Moncton, où la simple prise en charge d'une équipe de hockey n'avait plus de quoi les satisfaire. Un défi de taille ne tarda pas à se présenter : redonner sa valeur à la tristement célèbre rivière Petitcodiac.

Une équipe d'ingénieurs du plus haut calibre fut rassemblée, à laquelle se greffèrent des biologistes, des historiens, des récréologues et des gens d'affaires. Tous ces gens travaillèrent à la planification du projet pendant plus de deux ans. Vers la fin de cette méticuleuse et aventureuse gestation, de la machinerie lourde fit son apparition ici et là le long des berges de la rivière, attendant qu'on la mît à l'œuvre elle aussi.

Il s'agissait en gros d'élargir le lit de la Petitcodiac et d'installer des correcteurs de dérivation ultrasensibles afin de garantir le cours des bateaux de tourisme qui feraient la navette entre Beaumont et le centre-ville de Moncton. Même si la vague du mascaret avait perdu de sa hauteur au fil des ans, les courants, eux, demeuraient si forts qu'aucun bateau n'osait plus s'aventurer sur la Petitcodiac, de crainte de s'enliser dans ses berges vaseuses de plus en plus envahissantes. Le danger était particulièrement grand dans le secteur du coude, à la jonction de Dieppe et de Moncton, où la rivière effectue un virage à quatre-vingt-dix degrés. Les ingénieurs avaient donc mis au point un système de repérage électronique des courants, ce qui assurerait dans tous les cas des trajets à l'épreuve de la dérive. C'est dire à quel point l'empire Irving était disposé à se mettre en frais pour réaliser ce projet de haute technologie, qui piqua de curiosité jusqu'aux concepteurs du toit du Stade olympique de Montréal.

Quant à l'excursion comme telle, elle serait enrichissante à tous les points de vue. Dans les bateaux, les forces naturelles et technologiques en cause s'affronteraient sur un mur d'écrans reflétant à la fois le réel et le virtuel. Rien ne serait négligé non plus de l'univers écologique et du passé historique de la rivière : les biologistes n'en finissaient plus de préparer leurs interventions et les interprètes en histoire ne manqueraient pas d'insister sur la vie des Amérindiens ainsi que sur l'arrivée des Acadiens à la fin du dix-septième siècle, jusqu'à leur expulsion supposée définitive en 1758. Des points d'observation et de débarquement borneraient le parcours. On construirait même un gigantesque aboiteau dans lequel pénétrerait le bateau de tourisme pour s'assurer de bien faire comprendre aux visiteurs et aux Acadiens eux-mêmes l'ingéniosité de ces écluses de digue aménagées jadis pour protéger les terres contre les fortes crues de la rivière. Il n'était pas exclu que le trajet se prolonge, avec le temps, jusqu'à la baie de Fundy. Dans ce cas on prévoyait une excursion de quelques jours, avec une première nuitée près des célèbres rochers du cap Hopewell, où les rivières Petitcodiac et Memramcook se déversent dans l'estuaire de Shepody. Le lendemain, après avoir contourné le cap Maringouin et le cap Enragé, les visiteurs séjourneraient au parc de nature Fundy. Cet éventuel périple nécessiterait des embarcations plus imposantes que celles qui circuleraient seulement sur la Petitcodiac, mais fidèles à la philosophie corporative qui avait fait leur succès, les Irving se réjouissaient à la perspective de faire appel à leur chantier naval de Saint-Jean, car cela continuerait de faire tourner les rouages de leurs nombreux intérêts.

Sous le signe du Capricorne, la Maison X est la maison de la carrière ou de l'activité professionnelle, du lieu où elle s'exerce, de l'employeur, du rapport avec l'autorité ainsi que de l'autorité que l'on exerce dans sa profession. Même si elle se trouve la plupart du temps imposée par les circonstances, la profession peut se développer dans un sens tout à fait favorable, mais elle ne sera pas étrangère aux revirements et aux paradoxes. Maison des projets majeurs et du test social, la Maison X englobe tout ce qui touche à la vie publique : réputation, popularité, ambition, savoir-vivre, crédit, prestige, honneurs, titres et dignités. Les activités professionnelles imposées ou communautaires ont aussi un rôle dans l'établissement de ce nom et de cette image de marque. Maison de l'œuvre dont on se souviendra, de la gloire et de la célébrité, cette maison de la carrière en fonction de l'image passe par le service accompli en même temps que par l'amour du monde. C'est la maison de la capacité à se donner une pleine joie de vivre. Maison des réalisations ultimes et de l'ultime réalisation, elle comporte aussi une certaine crainte de ne pouvoir répondre à ses attentes envers soi-même. La Maison X représente le travail qu'on fait pour accroître sa conscience personnelle ainsi que celle du monde. On y trouve aussi des indications quant aux attentes de l'enfant envers ses parents.

C'est de sa tante et marraine, Émerentienne Goguen, qui revenait d'un de ses nombreux voyages, en France cette fois, que la petite Carmen Després reçut un jour un magnifique album illustré, intitulé *Les grands deltas*. Cette tante cherchait toujours à se faire pardonner son côté folichon en s'intéressant, et en essayant d'intéresser les autres, à la chose éducative. Ainsi, pendant les mois qui suivirent cette excursion de groupe en France, l'extravagante Émerentienne Goguen n'en avait plus eu que pour les Bouches-du-Rhône, qu'elle projetait dans la conversation comme des miettes de biscuit sec chaque fois que l'occasion se présentait.

Carmen Després n'en voulait guère à sa tante folichonne d'être ce qu'elle était. Elle n'avait jamais un instant imaginé qu'elle pût être autrement. Elle parcourut donc l'album sans arrière-pensée, découvrant des vues aériennes prenantes de territoires morcelés, qui avaient l'air de s'effriter, mais qui en réalité bâtissaient leurs assises, se consolidaient par le dessous, pour finir, un beau jour, par sortir de l'eau et avancer d'un pas sur la mer. Elle regarda longuement, comme pour arriver à mieux les comprendre, ces filets d'eau qui descendaient des montagnes, se transformant tantôt en rivières tranquilles tantôt en torrents, empruntant la plupart du temps des chemins aussi longs qu'improbables pour se rendre à la mer. Il lui arriva de regretter ne pouvoir entrer dans l'image pour sentir l'air et l'esprit de ces parcours prodigieux.

La commande de la famille Irving avait été claire : tout devait être mis en œuvre pour donner aux jeunes la chance de décrocher des emplois dans le futur parc historique et écologique de la rivière Petitcodiac. Terry Thibodeau fut l'un des chanceux, sa fiche de chômeur correspondant au modèle type recherché : il était sans emploi depuis un minimum de deux ans et il recevait des prestations d'aide sociale depuis aussi longtemps. On lui fit donc subir des tests pour déterminer s'il avait les capacités, primo, de suivre jusqu'au bout la formation d'opérateur de bateau, et, secundo, d'en réussir l'épreuve finale. Le titre d'opérateur avait été préféré à celui de navigateur, mot jugé trop fort compte tenu du système de direction assistée dont étaient munis les bateaux. Personne ne voulait provoquer la colère des vrais capitaines, qui étaient légion dans la région, qui osaient encore courir des risques et qui avaient tendance à se soulever à la moindre occasion.

Le jour de son vingt-quatrième anniversaire, le 12 décembre, douzième jour du douzième mois de l'année, Terry reçut donc le coup de téléphone qui allait enfin donner une orientation à sa vie. On l'invitait à se présenter au centre d'emploi de la rue Main, à Moncton, en face du lac Jones, où on lui expliquerait les détails d'un emploi fort intéressant. Il s'y rendit sans trop y croire, se prêta à toutes les formalités, toujours sans trop y croire, fut admis à la formation et la suivit, encore sans trop y croire, car il avait tout de même une certaine expérience de la vie. Mais cette fois-ci fut la bonne, tout marcha comme sur des roulettes. De sorte qu'à peine plus de huit mois plus tard, par un beau jour du mois d'août, assis devant le tableau de bord de son bateau de tourisme, en plein cœur de la rivière brune, Terry Thibodeau fut obligé de reconnaître sa propre transformation : il avait un emploi qui le satisfaisait pour le moment, il avait réappris à parler aux gens, qu'il ne dédaignait plus, même s'il ne s'agissait que de touristes, et il s'était remis à lire.

Produit des trois plans de l'espace par les quatre points cardinaux, le chiffre douze symbolise la complexité interne du monde en même temps que la voûte céleste, divisée en douze secteurs, les douze signes du zodiaque. On retrouve sa force symbolique dans toutes les grandes civilisations, mais aussi chez des peuples moins connus, comme les Dogons et les Bambaras du Mali, pour qui le trois et le quatre correspondent aux principes mâle et femelle, donnant, par addition, le chiffre sept, statique, et par multiplication, le chiffre douze, dynamique, représentant le perpétuel devenir de l'être et de l'univers. Nombre d'action, le chiffre douze représente aussi l'accomplissement et le cycle achevé. On le retrouve souvent dans les écritures saintes des juifs et des chrétiens, où il symbolise la perfection. Multiplié par lui-même, le chiffre douze mènerait à la plénitude et au paradis, rien de moins.

Terry Thibodeau était en train de préparer son bateau, le *Beausoleil-Broussard*, pour la première excursion de la journée quand une jeune femme noiraude se pointa sur le bord du quai.

– Youhou !...

Terry leva la tête. Il croyait avoir déjà vu cette fille, mais n'en était pas certain. Elle reparla.

– Y a pas beaucoup de monde aujourd'hui.

– Le 15 août, c'était hier.

Terry regarda sa montre. Il était à peine neuf heures et déjà le site avait été nettoyé et débarrassé des principales installations mises en place pour la fête de la veille. Mais une quinzaine de drapeaux acadiens alignés continuaient de battre au vent.

– Je veux dire, pour les voyages sus la rivière.

– Le monde est pas encore accoutumé de venir quand y a de l'eau.

– Awh...

La fille étudia l'emplacement, ses aires de verdure et ses plates-bandes en fleurs, ses petits kiosques et ses panneaux éducatifs.

– C'est-ti vraiment Irving qui a tout organisé ça ?

– Le parc, tu veux dire ? Pas mal, oui.

– C'est quoi l'idée ?

Terry ne croyait pas que la fille s'attendait vraiment à une réponse.

– Voulais-tu faire un tour ?

– J'sais pas. Y fait beau.

– Le prochain tour part dans une demi-heure. Faut que t'alles t'enregistrer à la petite cabine, là-bas.

La fille se tourna, regarda la cabine déserte.

– Y a personne d'autre ?

– Ça dépend. Y en a qui achetont leu' billet d'avance pis qui allont se promener dans les rues du Coude, prendre un café ou de quoi de même, en attendant.

– Awh...

La fille regardait la rivière. Elle ne semblait pas pressée de se décider. Terry attendit un peu avant de lui dire, aussi poliment que possible :

– T'es pas supposée de rester sus cte partie-icitte du quai.

– Awh ?

12

Je sentais bien qu'il fallait que je me décolonise, que je m'affranchisse, mais je ne savais pas par où commencer. Je me sentais grosse et divisée comme l'Afrique, affaiblie, envahie, mal coordonnée, primitive et paradoxale. Je ne savais même plus quoi être, quoi vouloir exactement. De sorte qu'il me devint presque impossible de faire un pas dans un sens ou dans l'autre. Même les rues de mon quartier avaient quelque chose d'étranger et de menaçant, quelque chose d'irréel. Je pris donc l'habitude de toujours me déplacer en voiture, même pour aller au petit magasin. Tout de même, j'évitais certaines artères aux heures de pointe de peur de me trouver immobilisée en pleine circulation, et jamais je n'aurais osé sortir de la ville toute seule. Je connaissais mes limites. Malgré tout, j'arrivais à vivre et à paraître normale. C'était peut-être ça le plus déroutant.

Trois autres personnes s'approchèrent du *Beausoleil-Broussard* quelques minutes avant le départ. Terry en fut soulagé. Il n'aurait pas voulu faire la tournée seul avec cette fille qui lui avait déjà demandé son nom, son âge et son opinion sur le livre qu'il était en train de lire.

– Comment c'est que tu t'appelles ?

Son nom était cousu sur le devant de sa chemise, mais la fille était trop loin pour le lire. Quelque chose le gênait d'avoir à dire son nom à cette fille.

– Terry.

– Terry quoi ?

– Thibodeau.

– Awh.

Il y eut un silence. Cette pause fut cruciale. Elle mit Terry à l'aise et finit par lui donner envie de poursuivre la conversation.

– Toi, comment c'est que tu t'appelles ?

– Carmen.

– Carmen quoi ?

– Després.

– D'où c'est que tu d'viens ?

– Grande-Digue.

– Je croyais qu'y avait yinque des Bourgeois à Grande-Digue.

– Y en a pas mal. Les Després viennent de Cocagne, vraiment. Mon père a déménagé à Grande-Digue pour être loin de sa famille.

Cette réponse ironique fit rire Terry. Il y eut une autre pause, puis la fille continua :

– Quoi c'est que tu lis ?

– Awh, c'est juste un livre...

Normalement Terry se serait arrêté là, mais aujourd'hui cette réponse lui paraissait trop brève et quelque peu insignifiante. Il s'efforça donc de la rallonger un peu.

– ... ça parle du nombre 12, de toutes les façons que ce nombre-là existe.

– C'est-ti bon ?

– C'est pas pire.

Un autre court silence. Carmen regardait l'étendue devant elle, puis :

– Quel âge que t'as ?

– À cause ?

– Juste pour savoir. Moi je dirais que t'as vingt-six.

– J'ai vingt-quatre.

– Deux fois douze.

– Exactement.

Terry avait répondu mine de rien, mais intérieurement cette fille le faisait rire.

– Toi, quel âge que t'as ?

– Trente. Je parais plus jeune, hein ?

– Mmm... oui... manière de.

– C'est-ti bon ça, trente ?

– Trente ?

– Oui, trente. Deux fois douze plusse six.

– Awh ! Ben, j'sais pas. Peut-être. Trouves-tu ça bon, toi ?

– Pas pire.

Par exemple, je ne serais jamais montée à bord de ces bateaux de tourisme qui se promènent sur la Petitcodiac. Jamais de la vie ! Il suffirait que j'embarque pour que leur fameux système de contrôle à distance tombe en panne. Mais même là je passe pour normale. Il y a tellement de gens qui boudent ou qui voudraient bouder les Irving que mon refus va de soi. Ils ont beau nous redonner une partie de notre histoire, rien n'y fait. Les Irving nous redonneraient la Nouvelle-France au grand complet qu'on s'en méfierait toujours. C'est comme ça.

À Shédiac, c'est pareil. Avec tout le monde qui aboutit à la plage, l'été, que je reste sur le sable où que j'aille dans l'eau, j'ai l'air normale. Les gens ne peuvent pas savoir que je me baigne seulement à marée haute parce qu'à marée basse, quand il faut marcher des milles (j'exagère) dans un pied d'eau, si je faisais une crise et que je m'évanouissais, je tomberais dans l'eau et finirais par me noyer. Ça, c'est une peur toute neuve de l'été dernier. Il y en a des nouvelles comme ça qui surgissent ici et là. Je surmonte une peur, une autre apparaît. Souvent je les sens venir dans mon ventre. Le pire pour ça, ce sont les immenses bibliothèques et les librairies à étages, comme il y en a dans les grandes villes. Tous ces livres, ça agit sur mes intestins. Quand je vois ça, je me demande pourquoi j'écris.

Sur le chemin du retour, Terry espérait que la fille aux questions reste tranquille un peu. Il aimait son petit côté pas achalée, mais tout à l'heure elle lui avait donné du fil à retordre. Il n'était pas encore certain de s'être vraiment tiré d'affaire.

– Crois-tu qu'y aurait une façon de prouver que la rivière Petitcodiac est le contraire d'un delta ?

Terry n'était pas certain de comprendre ce que Carmen Després voulait savoir au juste. Elle reformula sa question.

– Je veux dire, la rivière qui se remplit, que ça serait le contraire d'un delta, d'une rivière qui se vide et qui remplit la mer en se vidant ?

Terry ne savait pas quoi répondre, mais Carmen Després était tenace.

– Ça que je veux dire, c'est qu'au lieu que ça seye la rivière qui remplisse la mer, que ça seye la mer qui remplisse la rivière. Juste ça, ça serait-ti pas à l'envers d'un delta ?

Terry était un peu ébranlé. La fille avait l'air de connaître son affaire. Il remonta la filière des lectures qu'il avait faites pendant ses cours de formation.

– C'est peut-être comme tu dis, ben moi je croyais que le contraire d'un delta, c'était un estuaire. Comme la baie de Shepody.

Carmen Després ne savait plus comment s'expliquer, mais cela ne l'empêcha pas d'essayer une autre fois :

– Ben, quand même, ça se pourrait-ti pas que la rivière qui se remplit de vase... si la même chose se passait sur le bord de la côte, ça ferait comme un delta ? Me semble que ça pourrait se prouver.

– Ça se peut que oui, j'sais pas. Ben quoi c'est que ça donnerait de prouver ça ?

– J'sais pas. Rien peut-être. Des fois on a juste besoin de prouver de quoi.

Et puis un beau jour, quand tout cela a trop duré, je me décide. J'empoigne mes cruchons de plastique et je me précipite dans l'auto. Je me sens déjà à moitié folle du fait de ce cirque dont personne ne se doute, mais qui est devenu mon lot néanmoins. Je m'accroche à la confiance, je prends mon courage à deux mains, je démarre la voiture, bref je fais tout ce qu'il faut et je pars. Avant même d'avoir franchi les limites de la ville, j'ai déjà détaché toutes mes ceintures afin de mieux respirer, pour respirer du ventre comme on l'explique dans tous les manuels qui traitent de l'anxiété. À la radio, une belle chanson. Ça aide. Parfois, en revanche, c'est de silence que j'ai besoin. Mais rien de cela n'est prévisible. Parfois ni l'un ni l'autre ne font l'affaire. Parfois tout est de trop et rien ne suffit : une réflexion anodine, une légère émotion, et je bascule. Alors je ralentis, je mets la pédale douce. Ainsi, parfois, quand j'ai la présence d'esprit qu'il faut pour avancer tout doucement, les choses se replacent, prennent une plus juste dimension, font en sorte qu'il devient possible d'avancer. L'erreur, c'est peut-être de vouloir aller trop vite, ou d'en vouloir trop, tout simplement. Au centre commercial, lorsque je manque de courage devant ces couloirs interminables, lorsque cela se lève et voudrait encore désespérer en moi, je me parle parfois en ce sens. Je me dis que tout est correct, que tout est bien, que je veux juste m'acheter des bas, que j'en ai le droit et qu'il n'y a rien qui presse.

À la fin de la tournée, au lieu de débarquer, Carmen Després se posta à l'avant du bateau et scruta l'embouchure du ruisseau Hall. Terry gardait ses distances. Il craignait de se faire embarquer à nouveau dans son histoire de delta. De peur de paraître brusque en l'invitant à descendre, il fit semblant d'ajuster les écrans cathodiques du *Beausoleil-Broussard*.

Au bout d'un moment, la fille de Grande-Digue marcha vers la passerelle, puis, se ravisant, fit demi-tour et vint vers Terry.

– Tantôt, quand tu parlais des poissons dans la rivière, as-tu dit qu'y en avait encore ?

– Vraiment, pour dire, y a juste de l'anguille. Y a d'autres sortes de poissons, ben y sont pas mangeables. Y a déjà eu beaucoup d'éperlans et d'aloses. Un temps, y avait même du saumon pis de la truite. Tout ça, c'est fini asteure, à cause du barrage là-bas.

Carmen avait surtout bien regardé Terry pendant qu'il parlait. Elle avait mesuré son profil contre le brun de l'eau, le vert des berges et le bleu du ciel. Aussi fut-elle surprise d'entendre arriver si vite le silence à la fin des mots. Regardant le barrage, elle se dépêcha de réfléchir et d'ajouter quelque chose pour montrer à Terry qu'il n'avait pas parlé dans le vide.

– Je croirais. C'est pas ben large, ces portes-là.

Troisième partie
Gallimard... *Hot Stuff*

13

Élizabeth est étendue dans les bras de Hans, dans un lit défait. Le jour se lève dans la chambre aux murs blancs. La mer gronde au loin, à moins que ce ne soit que le vent qui souffle. Élizabeth n'est pas prête à ouvrir les yeux. Hans, lui, est bien réveillé.

– Comme ça, vous n'aimez pas les labyrinthes ?

– Pas particulièrement, non.

– Ce sont des univers complexes.

– C'est pour ça qu'il faudrait les aimer ?

– Ce n'est pas obligatoire. Il y en a qui les aiment naturellement.

Hans s'était retenu un bon moment avant d'initier la conversation matinale. Maintenant qu'elle était amorcée, il n'avait plus de raison de se retenir.

– Aimez-vous les poules ?

– J'aime qu'elles picorent et qu'elles pondent des œufs.

Hans ne parvient toujours pas à tutoyer Élizabeth. D'une certaine façon, il redoute le moment où cela arrivera. Pour l'instant, il savoure ce vouvoiement de l'amour entre eux.

– Aimez-vous les volcans ?

– Pas spécialement. Mais un peu quand même.

– Et les deltas ?

– Oui.

– Même s'ils ont quelque chose de labyrinthique ?

– Oui. Je les aime à cause de l'eau.

– Aimez-vous les diamants ?

– Non, pas tellement. Ils sont trop brillants.

Un soir de la fin du mois d'août, Terry Thibodeau entra seul dans un salon de billard de la ville. Les établissements du genre avaient poussé comme des champignons depuis quelque temps, faisant de ce jeu jadis suspect un passe-temps tout à fait respectable pour tous, y compris les femmes. On rencontrait même de plus en plus d'enfants dans ces salons. Certains apprenaient réellement à jouer, d'autres, encore à l'âge de se faire câliner, y suivaient simplement leurs parents.

Cette grande démocratisation du billard gênait quelque peu Terry, qui choisit une table à l'écart, à l'abri des regards, non parce qu'il était piètre joueur – c'était au contraire un ancien champion –, mais bien parce qu'il n'aimait pas toujours les regards fixés que lui attirait son adresse. Il eut à peine le temps de casser le jeu qu'une serveuse arrivait à sa table.

– Aimerais-tu boire de quoi ?

Terry reconnut la voix tout de suite.

– Awh... ben hallô ! Non, je viens juste jouer une couple de parties.

– ...

Carmen Després ne semblait pas pressée de s'en aller. Terry sentit le besoin de dire quelque chose.

– Je savais pas que tu travaillais icitte. Je viens des fois quand j'ai rien à faire.

– Ça fait pas longtemps que j'ai commencé. J'étais à Shédiac avant.

Tout à coup, les murs se mirent à trembler sous le coup d'une musique particulièrement tribale. La basse et la batterie noyaient tout le reste. Carmen se vira les yeux à l'envers.

– Le plusse tannant, c'est la musique. Je vas aller la changer. Y a-ti de quoi que t'aimerais d'entendre ?

Terry réfléchit pendant deux secondes.

– Avez-vous Tom Waits ?

Carmen approuva d'un signe de la tête et s'en fut.

Sous le signe du Lion, la Maison V est celle de l'énergie vitale prolongée dans la génération suivante, soit par les enfants ou par des œuvres artistiques, littéraires ou scientifiques. On y retrouve d'ailleurs la vie politique et les affaires sociales tout autant que les beaux-arts. La Maison V est la maison de l'originalité personnelle et du besoin de s'exprimer de façon créative. Maison des enfants et de la procréation, elle s'étend aussi à l'éducation et à la vie affective, aux affaires de cœur et aux aventures amoureuses. Le jeu, comme capacité de choisir la légèreté, de se laisser distraire et d'oublier le sérieux de la vie, est fort présent dans cette maison : il prend tantôt la forme de petits plaisirs, de passe-temps, de sports ou de vacances, tantôt celle de sorties au théâtre et au concert ou de soirées mondaines. Les jeux d'argent et les gains de chance sont également présents dans cette maison, tout comme les spéculations financières, les dons et les cadeaux. Maison de risque, la Maison V pousse aussi à expérimenter dans le champ de la puissance. Elle pousse à oser, à développer un pouvoir créateur au-delà de la fougue et des pulsions premières, malgré des gaucheries initiales, des timidités ou un quelconque manque de savoir-faire. À travers le plaisir de créer, la Maison V appelle à jouer de l'ego pour apprendre à briller.

Carmen Després avait été liée de très près à cette grande vogue du billard. Son père, un entrepreneur, avait vu venir les choses et il s'était mis à fabriquer de l'équipement de billard à Grande-Digue. Depuis une quinzaine d'années, la marque Diamond Billiards avait fait son chemin un peu partout en Amérique du Nord, et son initiateur avait été couronné entrepreneur de l'année au moins six fois en cours de route.

Carmen Després avait eu un rôle dans le succès et la prospérité de son père. D'abord, comme représentante des jeunes, elle avait siégé au comité chargé d'aménager le centre paroissial de Grande-Digue. Ce comité avait ardemment défendu l'achat de deux tables de billard devant des paroissiens conservateurs qui s'y opposaient, ne voyant dans l'arrivée de ces tables que danger de corruption et de fainéantise. Ensuite, une fois le centre ouvert, Carmen avait plusieurs fois insisté auprès de son père pour qu'il vienne jouer au billard avec elle, lui qui n'avait jamais de sa vie tenu une baguette de billard dans ses mains.

Carmen avait alors déjà reçu et lu *Les grands deltas*, et elle remarquait, chaque fois qu'elle ouvrait le jeu, que les billes se séparaient selon le mode deltaïque traditionnel, vu qu'elle n'avait pas encore le tour, comme certains, de faire rouler les billes avec force dans tous les sens, d'un bord à l'autre de la table. Après son premier coup de baguette, les billes se décollaient les unes des autres sans grand émoi, roulant par-ci par-là sans trop se forcer, quelques-unes d'entre elles restant même tout à fait imperturbées par le coup initial. Fascinée par la forme triangulaire échancrée qui se dessinait après ce premier coup, Carmen s'en émerveillait à chaque fois devant son père, qui chaque fois prenait le temps de contempler avec sa fille le dessin deltaïque qui se traçait sur le drap, attendri par le bonheur naïf de sa fille dans cette salle aux murs décorés d'affiches du groupe rock Metallica et de petits cœurs de Jésus en lainage tricoté. Quant aux affiches du groupe Slaughter, elles avaient été rejetées sans aucune possibilité d'appel par une majorité de paroissiens.

La plus brillante de toutes les pierres précieuses, le diamant brille même dans l'obscurité, ou presque. Un rien de lumière suffit à le faire éclater de ses mille reflets. Mais c'est peut-être davantage à cause de sa dureté que le diamant est devenu le symbole de l'amour : un diamant est inaltérable, seule sa propre poussière parvient à l'user quelque peu. La taille d'un diamant, qui a comme conséquence de rendre cette pierre plus brillante encore, ne peut d'ailleurs se faire que par frottement intense avec de la poussière de diamant, opération qui exige beaucoup de temps et de précision. Le travail du diamant a atteint la perfection avec la taille brillant dite « moderne », qui comporte cinquante-huit facettes et qui a été mise au point au début du vingtième siècle à partir de la taille dite « pleine », du siècle précédent. D'autres facteurs entrent en ligne de compte en ce qui a trait à la perfection d'un diamant : sa limpidité, plus poétiquement appelée son eau, sa teinte et bien sûr son poids. Le poids d'un diamant se mesure en carat. Un carat de diamant est donc mesure de quantité et non de qualité, contrairement au carat d'or.

Terry Thibodeau trouva Carmen Després plus docile ce soir-là qu'elle ne l'avait été dans son bateau sur la Petitcodiac. Cela le rassura jusqu'à un certain point, mais il continua tout de même de la guetter du coin de l'œil, un peu à cause de son petit côté frondeur qui était loin de lui déplaire. Il la suivait du regard tout en empochant ses billes. Elle avait l'air de tout faire : servir aux tables, distribuer les plateaux de billes, mettre de l'ordre derrière le comptoir, dire aux autres quoi faire, disparaître, reparaître, de sorte qu'il était difficile de se faire une idée exacte de son rôle dans la boîte. Ayant perdu sa trace pendant un moment, Terry se concentra sur son jeu et l'oublia momentanément.

– Belle shotte !

Terry essaya de ne pas rougir, mais n'y parvint pas.

– D'où c'est que t'as ressoudu ? Je t'ai pas vue venir.

– Awh ? Comme ça tu me watchais ?

Terry sentit son sang jusqu'aux oreilles. Il n'avait pas l'habitude de rougir pour si peu.

– Je voulais une bière tout d'un coup.

– Quelle façon ?

– Awh, j'sais pus. Y en a assez de façons, asteure. Apporte ça que tu veux, ça me fait pas de différence.

14

Ce n'était pas la brillance à toute épreuve du diamant qui avait impressionné Hans. À plusieurs reprises, il avait pris la petite pierre entre ses doigts et l'avait laissée tomber sur le morceau de tissu que le marchand avait étalé sur le comptoir. Chaque fois la pierre faisait éclater ses mille feux, mais cela avait quelque chose de lassant à la longue. Non, ce fut autre chose qui retint son attention. Quelque chose qui n'avait rien à voir avec l'esthétique de la pierre. Refaisant le geste, Hans eut cette fois l'impression de jouer aux dés, ce qui lui fit penser au hasard de la lumière et de la richesse. Là, il sentit qu'il approchait de quelque chose. Retenant cette idée du hasard de la lumière et de la richesse, il sortit de la boutique avec un sentiment de bonheur.

Carmen Després revint avec une Moosehead verte sur son plateau. N'étant pas non plus friande de toutes ces nouvelles marques de bière, elle ne s'était pas forcée outre mesure. Mais elle aimait cette bouteille verte avec un peu de rouge, qui lui faisait penser à Noël.

Terry n'eut pas le temps de sortir l'argent de sa poche.

– Non, c'est moi qui paye. Un cadeau.

Terry n'eut pas, non plus, la chance de protester, car Carmen était déjà en train de servir les gens qui venaient de commencer à jouer à la table d'à côté.

Cette idée du hasard de la lumière et de la richesse ne quitta plus Hans. C'était comme si, par cette seule idée, le monde s'était ouvert devant lui, suscitant quelque chose de nouveau, quelque chose d'inusité. Une sensation de légèreté le portait. Curieusement, ce petit diamant qu'il avait tenu entre ses doigts avait tout simplifié. La vie avait changé. La chose manquante était apparue. Cherchait-il cette chose depuis longtemps ? Hans n'aurait su le dire. L'espérait-il vraiment, ou avait-il cessé de l'espérer ? Encore là, Hans ne savait pas. Il avait été occupé, préoccupé. Son esprit avait été ailleurs. Aujourd'hui tout cela s'était fondu en un. Tout cela était devenu quelque chose d'autre en lui. Il était devenu. Le devenir avait agi, avait pris place. Comme par miracle. Comme si c'était possible.

Carmen et Terry commencèrent à se voir de plus en plus souvent.

– Hier, sus mon bateau, y avait un homme qui s'appelait Absence Léger.

Carmen regarda Terry d'un air sceptique.

– Je te dis. Moi non plus je le croyais pas. Ça fait que j'ai ben écouté et je te dis, y l'avont appelé comme ça toute la journée.

– Ça devait être Absconse. Absconse Léger. Y avait une femme par chez nous qui s'appelait de même.

– Non. Je te dis. J'suis sûr que c'était Absence. Absence Léger.

– ...

– Ça me tanne. Je peux pas arrêter d'y penser.

Rêve d'après-midi dans le salon d'un appartement aux fenêtres grandes ouvertes sur une douce pluie d'été : un énorme cube de granit foncé se tient en équilibre sur le pic d'une montagne. Les arêtes du cube sont arrondies mais grenues, comme l'ensemble de la surface. Mon regard parvient à pénétrer l'opacité de la pierre. Au centre du bloc se trouve un énorme diamant brut. Rien ne laisse deviner sa présence. Mais il y est pourtant, une richesse que personne ne peut voir. Ce qui frappe, c'est l'opposition entre le bloc parfaitement massif et structuré, et son intérieur, tout en angles de lumière et de légèreté. Ce qui frappe, c'est la transformation progressive du granit, la réorganisation secrète qui a pris place.

Lorsqu'un diamant apparaît en rêve, ses qualités de clarté, de solidité, de maturité et de perfection deviennent des valeurs quelque peu pétrifiées. Dans le rêve, le diamant revêt surtout les valeurs associées au cristal, matière vivante capable de croissance. Sa limpidité devient alors aptitude à tout contenir et à tout engendrer. Le rêveur prend alors conscience d'une énergie refoulée, le diamant symbolisant une tension entre un élan vers la perfection et la promesse d'une explosion. Cette prise de conscience s'apparente à un rajustement de pôles, notamment ceux de la fixité et de la flexibilité, ceux de la perfection et de la simplicité.

Au début, Terry et Carmen avaient une manière plutôt inhabituelle de se parler. Le jour, à les entendre, on aurait presque pu croire qu'ils se tapaient un peu sur les nerfs.

– Hey... tu portes du rouge aujourd'hui !

– T'as des bons yeux.

– C'est la première fois que je te vois avec du rouge. Ça t'avient ben.

Plus tard, assis à une terrasse au soleil, au beau milieu d'un silence de septembre, Terry ajouterait :

– Les Acadiennes aimiont beaucoup le rouge. Mais a n'en aviont pas beaucoup, ça fait qu'a le portiont juste par petits morceaux. Des fois a le tissiont dans d'autre matériel pour que ça n'en faise plusse.

– ...

– En tout cas, c'est ça que j'ai lu.

Carmen tira sur sa cigarette, l'air un peu exaspérée, et lâcha en soupirant :

– J'ai pas hâte à l'hiver. Vraiment pas hâte.

Et puis, les sujets abordés le jour refaisaient doucement surface la nuit.

– Ben, quelles couleurs qu'a portiont si y avait pas beaucoup de rouge ?

– Y avait juste de la teinture pour le vert pis le noir.

– Comment ça se fait qu'y avait pas de rouge ?

– J'sais pas. Quand y en avait, ça venait des Anglais. Des *redcoats*. Peut-être qu'y leu' arrachiont leu' manteaux de sus le dos.

– ...

– ...

– ...

– As-tu lu la Bible, toi ?

– Non. J'ai essayé une fois. C'est pas lisable.

– Ben, crois-tu que quelqu'un peut vivre sans avoir lu la Bible ? Je veux dire, sans savoir quoi c'est que ça veut dire, toutes ces affaires-là, le chemin de Damoclès pis l'épée de Damas ?

– Ç'a tout l'air.

15

E t puis, à un moment donné, on finit par en avoir marre de la croissance personnelle. Il y a des limites à toujours essayer de s'améliorer ou de se dépasser. Cela fatigue et ne donne plus de résultat à la longue. Je me suis donc dit qu'il fallait tout simplement que je décroche et que j'accepte mes limites au lieu de m'en rendre malade. Accepter l'insurmontable. Accepter de ne pas pouvoir aller plus loin. M'en contenter. Être fière d'être rendue là où j'étais rendue et laisser les autres, nos fils et nos filles, prendre le relais et agrandir le territoire à leur manière. Accepter les lentes étapes de l'évolution humaine. Accepter de prendre ma place dans cette lenteur. Que cela soit simplement une condition de l'existence, et que cette condition soit bonne, elle aussi, qu'elle ne soit pas que négative, qu'une soustraction de moi-même.

Ce jour-là donc, je partis avec mes cruchons et pris la direction de la source, mais je m'arrêtai résolument en pleine ville, à une quincaillerie où l'on venait d'installer une toute nouvelle machine distributrice d'eau pure. J'étais fière de moi, de ma décision, de ma ruse, de ma délinquance. Je pouvais tout justifier et tout s'expliquait : qu'il valait la peine d'encourager ces gens débrouillards qui avaient en réalité rapproché la source de la ville, en en faisant ainsi profiter plus de gens ; qu'il s'agissait d'un service utile qui méritait de survivre, et que j'étais folle de ne pas m'en prévaloir moi aussi ; que j'avais sans contredit des choses plus utiles à faire que de perdre mon temps en élucubrations de panique dans la solitude de la campagne, que je devais au contraire me faire un devoir d'aller à la fontaine communale jaser avec mes concitoyens et concitoyennes, que cela me ferait plus de bien pour enrayer ma peur que de me lancer des défis plus ou moins insignifiants, au fond. Et c'est là, un cruchon rempli dans une main et un cruchon vide dans l'autre, que je croisai Camil Gaudain.

Sous le signe du Verseau, la Maison XI de la charte astrologique porte sur la capacité à l'amitié et sur les relations à caractère non émotionnel, celles qu'on a, par exemple, avec ses éducateurs et ses conseillers, ses maîtres et ses protecteurs, ou encore avec ses confrères et consœurs au sein d'associations et de clubs sociaux. C'est aussi la maison des souhaits et des désirs, des attentes et des buts dans la vie. C'est la maison de la solidarité généreuse, des grandes visions humanitaires, des idéaux et des projets. On y trouve l'aide ou la protection de partenaires ayant les mêmes vues, les uns aidant les autres à prendre racine dans le social. La Maison XI est celle de l'expérience et de la responsabilité, celle où l'on travaille au mieux-être de la société. C'est la maison de la finesse d'esprit, de l'humour et de la popularité. C'est aussi la maison de l'indépendance en tant que refus des contraintes.

Je savais depuis longtemps qui était Camil Gaudain – on se fait remarquer de nos jours quand on modifie l'orthographe habituelle de son nom. Mais s'il nous arrivait de nous saluer à l'occasion, c'était vraiment la première fois que nous nous adressions la parole. Son sourire invitant lui servit de préambule :

– Y paraît que tu vas publier ton prochain livre chez Gallimard ?... *Hot stuff...*

Une hypothèse délirante s'il en est une, mais qui ne manqua pas de m'amuser. J'en savourai donc chaque syllabe avant de rectifier les faits.

– Belle rumeur. D'où c'est qu'a sort ?

– J'ai entendu ça à CJSE hier, à l'heure du souper.

C'était le comble ! Quelque féru de littérature avait pris le contrôle des ondes de la radio communautaire. C'était trop beau. Je ne voulais pas faire éclater la bulle trop vite. Peut-être étais-je en manque de ce genre de fantaisie qui ne passe pas souvent par ici. J'essayai donc de faire durer l'affaire sans trop en avoir l'air.

– Mon prochain livre est même pas écrit, je vois pas comment Gallimard pourrait être intéressé à le publier.

– Ça prendrait juste un bon agent. Y ont dit aussi que t'allais passer à la télévision en France, à l'automne.

Décidément, les nouvelles voyageaient vite. J'étais lancée, *Bouillon de culture* prenait ses droits sur moi. Le pire, c'était qu'on me faisait déjà traverser les océans, moi qui avait toute la misère du monde à sortir de la ville.

Avec le temps, l'impression que Terry s'était faite de Carmen à partir de l'excursion sur le *Beausoleil-Broussard* finit par s'estomper. Loin de toujours poser des questions, Carmen était une fille plutôt silencieuse. N'empêche que, comme tous ceux qui ont vécu sur le bord de la mer, elle avait de la suite dans les idées.

– Ça te dit-ti de quoi, les Bouches-du-Rhône ?

Terry réfléchit un instant.

– Si c'est ça que je crois que c'est, mon oncle en a dans sa cave.

Carmen ne put s'empêcher de rire.

– Qui c'est, ton oncle ?

– Alphonse Thibodeau.

– Le ministre ?

– Un-hun.

– ...

– ...

– Y est ministre de quoi encore ?

– De la Culture.

– ...

– ...

– Les Bouches-du-Rhône, c'est un delta en France. As-tu déjà vu un delta ?

– T'as vraiment de quoi pour les deltas, hein ?

– ...

– ...

– As-tu déjà vu un delta ?

– Non.

– ...

– Y a le Mississippi aussi.

– J'sais.

Je me disais que, pour tenir les propos qu'il me tenait, Camil Gaudain n'avait pas dû lire mes livres. Aussi, je craignais qu'il se fasse des idées, qu'il les pense meilleurs qu'ils ne l'étaient.

– Non, ça me surprendrait pas mal que Gallimard s'intéresse à mes livres.

– Pourquoi ? Y sont bons, tes livres !

Il avait l'air tellement sincère que cela me fit comme un petit chaud au cœur. Mais je me retins d'insister, au cas où les choses se gâteraient. Comme tout allait très vite, je préférai être nette tout de suite.

– Pour dire la franche vérité, ce voyage-là, en France, m'excite pas beaucoup. Je dis pas cecitte à tout le monde, ben j'suis agoraphobe.

Camil Gaudain eut l'air de comprendre. Il mit la main sur mon épaule et me confia en riant, sans vraiment baisser le ton :

– Fais-toi-z'en pas, moi j'ai le sida.

Et puis, qu'est-ce que je leur dirais à *Bouillon de culture* ? Que la mort, ou tout au moins l'inexistence, est inscrite dans nos gènes ? Que tout repose dans la manière, dans l'art de s'y faire ? Que tout est affaire de légitimation ? Légitimité de ce que nous sommes aux yeux du monde et à nos propres yeux. Être et paraître. Par/être, être par. Voir et être vu. Reconnu. Que tout ne repose pas que sur l'arbitraire, l'invisible et l'injuste. Remonter le cours de l'histoire, descendre dans l'inconscient à la recherche de fondements, d'explications, de justifications, d'interprétations de sa propre existence dans des lieux où il n'y a parfois aucune autre manière d'être, d'exister, de voir et d'être vu, reconnu. Et enfin, peut-être que oui, pour toutes ces raisons, écrire.

16

L e Café de la Terre-Rouge était l'un des nombreux commerces qui avaient surgi depuis l'aménagement du parc de la Petitcodiac. Par beau temps, la terrasse du café donnait sur le Petit cimetière du début des temps. Terry et Carmen s'y retrouvaient souvent.

– Quand y avont commencé à bâtir la ville, y avont trouvé des cercueils faits avec des planches trois pouces d'épais. C'est comme ça qu'y avont su que c'était un cimetière d'Acadiens pis pas d'Indiens.

– À cause du trois pouces d'épais ?

– Un-hun.

De l'autre côté se trouvait l'un des quartiers résidentiels les plus agréables de la ville. Des Acadiennes y avaient aménagé une fort jolie coopérative d'habitation, la Coopérative du Coude, où ceux et celles qui aimaient particulièrement jardiner avaient accès à de petits lopins de terre cultivable, pour les fleurs et le potager.

Sous le signe de la Vierge, la Maison VI est celle des récoltes, des accumulations et des réserves. C'est aussi la maison du discernement, de la débrouillardise et de l'efficacité. Maison de la prédominance de l'esprit sur la matière, on y trouve le combat entre conscience et matérialité, où l'animalité cède un peu la place au questionnement. C'est la maison des habitudes, y compris les habitudes émotionnelles ; c'est la maison de l'ordre, du perfectionnisme et de la bonne finition. On y retrouve aussi les vêtements et la structure, les méthodes et les habiletés. La Maison VI est aussi celle du travail dans ce qu'il a d'ingrat et d'imposé : c'est la maison du service et de la besogne, des personnes à charge et des animaux familiers, des dépendants, des pensionnaires et des infirmes. C'est la maison du temps comme source de stress, et de la tendance à vouloir trop en faire. La vie risque d'y devenir fade si on ne s'efforce pas d'y mettre de la magie.

Même s'il était extrêmement heureux de son nouvel état, Hans ne s'empressa pas pour autant de bousculer l'ordre des choses. Il voulut d'abord s'assurer qu'il ne vivait pas sous le coup d'une illusion quelconque. Pendant quelque temps, il se contenta de regarder le monde avec son regard neuf, et cela lui suffisait. Il se réjouissait de constater que la nouveauté tenait, que l'illusion, si c'en était une, ne s'estompait pas. Plus le temps passait, plus ce qui aurait pu être une illusion s'affirmait, se confirmait, s'enracinait dans la réalité. La réalité elle-même prenait de nouvelles proportions. Elle devenait la seule réalité possible, la seule qui permette vraiment d'avancer, de faire un pas. Le pas.

Hans se mit donc à se départir de ses affaires. De toutes ses affaires. Il fit cela avec soin, essayant d'obtenir un juste prix pour chaque chose, mais sans insister outre mesure quand la demande résistait à l'offre. Il accumula peu à peu l'argent recueilli dans un compte de banque, jusqu'au jour où tout fut vendu, jusqu'au jour où il ne lui resta plus que le stricte nécessaire. Ce jour-là, il se rendit de nouveau chez le marchand de diamants et acheta douze pierres, qu'il choisit une à une, malgré leur grande ressemblance. Il opta pour une grosseur qui se prêterait bien à la revente. Le soir même, il confectionna la petite pochette en tissu qui les contiendrait et qu'il porterait dorénavant sur sa poitrine.

Ce jour-là, Terry et Carmen s'étaient attardés plus longtemps que de coutume dans le quartier de la Terre-Rouge. Ils longèrent la rue du Cran, puis la rue de la Brosse, jusqu'à la petite place où des ouvriers érigeaient un monument à la mémoire des premiers colons du Coude. Carmen lisait le panneau qui donnait quelques explications historiques.

– C'est-ti vous autres, ces Thibaudot-là ?

– Ç'a l'air que oui.

Carmen fut impressionnée. Cela gênait Terry.

– Ben, on n'était pas tout seuls. Y avait les Babinot pis les Breau aussi, au commencement. Pis alentour, jusqu'à Memramcook de cte bord-là, pis jusqu'à Salisbury de cte bord-icitte, y avait des Blanchard, des Gaudet, des Broussard – à commencer par le père de Beausoleil –, des Melanson, des Surette, des LeBlanc, des Doucet, des Saulnier, des Landry, des Léger...

– Tu sais tout ça par cœur ?

– Fallait, pour ma job.

Carmen continua de lire le panneau, et insista :

– Ben, pareil, icitte ça dit que vous étiez les premiers, autour de 1700.

– Ça, c'était plusse dans le coin de Memramcook, vraiment.

Le monument aux Thibaudot, aux Breau et aux Babinot, premiers colons de la Terre-Rouge, reposait déjà sur son socle, mais il était recouvert d'une toile. Les ouvriers achevaient l'aménagement paysager de la place. Terry Thibodeau se pencha au pied du monument et ramassa une poignée de terre.

– C'est supposé que la terre était vraiment plusse rouge dans ce coin-icitte. C'est pour ça qu'y avont appelé ça Terre-Rouge. Y en a qui disont qu'y avait une autre rivière, la Scoudouc, qui venait rencontrer la Petitcodiac que'que part alentour pis que c'est cte rivière-là qui aurait amené la terre rouge de l'Île-du-Prince-Édouard jusqu'à icitte.

Ce livre, qui se voulait simple et organique comme une poignée de terre, hésite maintenant entre la poignée de terre et la poignée de diamants. Entre le temps qui fait qu'on s'enracine, et le temps qui fait qu'on se pétrifie. Qu'on s'incruste. Qu'on entre dans les couches de la matière. Jusqu'à s'immobiliser définitivement. Minéralement. De l'émotion lente, cultivée, à l'émotion violente, fossile. Hésitation entre le règne généalogique et le règne géologique. Entre le papier carbone et le carbone tout court, couches de temps par-dessus couches de temps. Le diamant n'étant que du carbone compressé depuis des millions d'années de toute façon.

Carmen et Terry se baladaient maintenant dans les jolies ruelles de la Coopérative du Coude. Ils montèrent la rue des Saules, puis bifurquèrent sur la rue des Toises, jusqu'à l'ancienne rue King, rebaptisée rue Royale.

– Y disont aussi qu'une rivière à grandes marées, comme la Petitcodiac, ça divise le monde. Que d'habitude ceux-là qui restont d'un bord ou de l'autre d'une rivière avont beaucoup de quoi en commun, ben que c'est le contraire qui arrive si les marées sont fortes. Ça sépare le monde à la place de les amener ensemble.

Terry était devenu loquace, presque bavard. Carmen se demanda s'il n'avait pas fini par prendre goût au fait d'avoir un auditoire.

– Parce qu'y a eu des chicanes drouette du commencement, entre les Français z'eux-mêmes. Y se battiont pour les meilleures terres. Avant même la Déportation, avant même que les Trites, les Lutz, les Jones, les Steeves, les Somers pis les Wortman arriviont sus la *sloop* du Captain Hall en 1766.

17

Plus le temps passait, plus il devenait urgent de trouver une solution à mon problème. Un arrangement possible ne me quittait plus l'esprit. Je pris le téléphone.

– Camil Gaudain ?

– Oui, c'est moi.

– C'est France Daigle...

– Awh, ben hallô ! Comment ça va ?

– Pas trop pire. Je voudrais te parler de que'que chose, as-tu cinq minutes ?

– Ben sûr...

– Bon, ben, je passerai pas par quatre chemins. Pis gêne-toi pas pour dire non si...

– Fais-toi-z'en pas, j'suis pas connu pour être un gars gêné.

– Bon, ben, je me demandais si tu voudrais venir avec moi en France pour que je participe à cette fameuse émission de *Bouillon de culture* ?

Court silence au bout du fil. Ma proposition avait l'air de le prendre de court.

– Mon doux, j'suis flatté, mais... ton amie peut pas y aller ?

– Ben, a voulait venir, mais a peut pas prendre de vacances juste dans ce temps-là.

– Pour l'amour ! Veux-tu ben me dire pour qui c'est qu'a travaille !

Ce fut le seul petit sursaut. Camil Gaudain accepta de m'accompagner et, à en juger par le reste de la conversation, nous étions partis pour bien nous entendre.

Ce matin-là, Élizabeth avait réellement le goût de paresser dans les bras de Hans. Il lui semblait que plus rien ne presserait jamais, que plus rien n'aurait jamais autant de charme et de douceur que ce moment à ne rien faire d'autre qu'être. Même les questions de Hans ne la troublaient guère. Leur échange était devenu comme un jeu, agréable et éclairant en quelque sorte, mais sans grandes conséquences.

– ... mais puisque vous êtes médecin.

– Il faut bien faire quelque chose. S'occuper. S'intéresser.

– Pas plus que ça ?

– C'est déjà beaucoup.

– Mais la passion ? Le désir ? La volonté ?

– Vous voulez dire l'espoir, l'idéal, la grandeur ?

– Oui, tout ça.

– ...

– Non ?

– Je ne sais pas. Plus j'avance, plus je doute. Et en même temps, plus je doute, plus j'avance.

Comme d'habitude, le sujet abordé de jour finit par resurgir dans la nuit de Terry et Carmen.

– Toi ? As-tu quelqu'un de *famous* dans ta famille ?

Carmen fit semblant de réfléchir avant de répondre.

– Mon père a été nommé entrepreneur de l'année sept fois dans le comté de Kent.

– Awh. Quoi c'est qu'y a fait ?

Carmen se doutait bien de l'effet de sa réponse.

– Diamond Billiards, ça te dit-ti de quoi ?

N'en croyant pas ses oreilles, Terry se rassit dans le lit. Arthur Després était un millionnaire local que tout le monde respectait parce qu'il n'avait pas eu l'air d'écraser qui que ce soit sur sa route vers le succès.

– C'est ton père, ça ? Comment ça se fait que tu me l'as pas dit avant ?

– J'sais pas. Ç'a pas adonné je crois ben.

Hans était intrigué par l'attitude d'Élizabeth. Il avait de la difficulté à saisir où elle se situait au juste, de quoi était faite sa liberté, son détachement.

– Mais vous y retournerez ?

– Bien sûr.

– Quand ?

– Je ne sais pas.

– On ne vous attend pas ?

– Oui et non.

– Mais, ils ne comptent pas sur vous ?

– Ils attendent. Ils savent. Et quelqu'un me remplace en attendant. Il y a beaucoup de médecins maintenant, vous savez. On peut se relayer.

Mais comme Hans était européen, il n'avait pas l'habitude des grands espaces mentaux des Nord-Américains. Il se perdait dans ce genre de flou.

– Vous dites qu'ils savent. Mais qu'est-ce qu'ils savent ?

– Ce sont des Acadiens. Ils savent que tout n'est pas noir sur blanc.

– Des Arcadiens ?

– A-cadiens. Sans le *r*. Ce sont des gens là-bas. De descendance française. Ça remonte au temps de la découverte de l'Amérique. Une longue histoire.

– Et ces A-cadiens, ils ne sont pas pressés ?

– Disons qu'ils ont l'instinct de détachement. C'est une sorte de sixième sens.

D'une chose à l'autre, les sujets de la célébrité, du père de Carmen, du billard et de la mauvaise musique que l'on faisait jouer dans les salons s'épuisèrent d'eux-mêmes, mais le sujet de la musique tout court resta dans l'air.

– As-tu été voir Bob Dylan quand y est venu à Moncton ?

La question chatouilla Terry.

– Ben oui ! Quoi c'est que tu crois !

– Y a-ti chanté *Tangled Up in Blue* ?

– Non.

– ...

– Ben, y pouvait pas toutes les chanter !

– Je crois ben.

– Toi, où c'est que t'étais ?

– Toronto.

– Tu m'avais pas dit ça. Quoi c'est que tu faisais par là ?

– Bonne question.

Je parlai encore quelques fois à Camil Gaudain au téléphone avant le départ, principalement au sujet de l'achat des billets d'avion et d'autres détails de cet ordre. Je voulus aussi savoir, sans en avoir l'air, s'il se sentait physiquement capable d'entreprendre ce voyage, s'il y avait pour lui un risque de tomber subitement malade en cours de route.

– Ma chère, d'après ce que je peux voir, mes combinaisons intérieures sont stables. J'ai beau virer ça dans tous les sens, je peux pas voir qu'un voyage d'une semaine à Paris pourrait faire du mal à quelqu'un, à moins de tomber sur des terroristes.

Camil ne jugeait pas nécessaire que nous nous revoyions avant le départ, et moi non plus. Le voyage nous donnerait bien le temps de faire plus ample connaissance. Nous nous sommes donc quittés de bonne humeur sur son dernier mot :

– Tu sais, c'est souvent mieux de pas trop en savoir d'avance.

18

Élizabeth regarda d'abord sans comprendre le petit tas de diamants que Hans avait sorti de la pochette. Elle voyait les diamants là, pêle-mêle, brillants et libres, et aucune pensée ne lui venait à l'esprit. Il n'y avait rien à conclure. Elle pensa à les toucher, à les prendre et à les laisser tomber comme du sable, ce qu'elle finit par faire. Puis l'idée lui plut, l'idée d'une petite poignée de diamants que l'on porte sur soi, mine de rien, sans les montrer. Car ces diamants auraient pu être arrangés, ordonnés, placés les uns à côté des autres, fixés pour la suite des temps sur un collier, une épinglette, une bague. Mais comme ça, on n'en verrait toujours que les mêmes facettes. Ainsi incrustés dans la parure générale du monde, dans la beauté et la richesse faites pour être exposées et admirées, ils seraient privés de la liberté de se montrer sous tous leurs angles.

Sous le signe du Poisson, la Maison XII de la charte astrologique est la maison des choses cachées. C'est la maison du mystère de soi-même, des secrets, mais aussi des regrets et des remords inavoués, méconnus ou oubliés. C'est la maison de ce qu'on dissimule, ce qui n'exclut pas les forces, mais qui inclut sûrement les faiblesses, les limitations, les souffrances, les handicaps. C'est la maison de la vie privée ou recluse, de l'enfermement, de l'emprisonnement, de la maladie. C'est la maison des fins, et en cela elle chapeaute les hôpitaux, les prisons et les asiles. C'est la maison des dispositions autodestructrices et des dépendances, des maladies non diagnostiquées et des accidents. C'est la maison de la fatalité, de l'exil et de la solitude. C'est la maison de la criminalité, des empêchements et des difficultés matérielles de l'existence. En somme, c'est la maison de la condition humaine, avec tout ce qu'elle comporte de mort philosophique, de tentative de guérison intérieure, de contemplation. C'est la maison de l'abandon d'une certaine rigidité, y compris la rigidité du corps, pour une suite devenue désirable. C'est par la Maison XII qu'on tente de se juger avec objectivité, qu'on retourne à l'écoute de l'inconscient collectif, qu'on entreprend le pèlerinage de la dissolution.

Puis Élizabeth eut envie de rire. Par leur simple présence, les petites pierres bannissaient le sérieux de toute situation. Mieux encore, la présence des petits diamants faisait tout chavirer dans le plaisir de l'inconnaissance. Quelque chose de merveilleux faisait qu'Élizabeth ne voulait pas savoir. Elle aimait flotter dans cette absence de genèse. Elle savait de toute façon que tout était à la fois bien et mal. Il n'y avait donc rien à soupçonner, et elle ne soupçonnait rien. Elle se trouvait devant la richesse pure.

Devant son silence, Hans voulut la rassurer.

– Ils sont à moi. Je les ai...

Mais il s'était tu quand Élizabeth avait doucement posé son doigt contre ses lèvres pour le rappeler au silence. Ils demeurèrent assis à l'indienne, l'un en face de l'autre dans le lit défait, le petit tas de diamants posé sur le désordre des draps entre eux. Et dans le silence, dans leurs yeux, dans le rire de l'intérieur et de l'extérieur, le désir monta de nouveau en eux.

Camil Gaudain n'avait exprimé qu'une envie concrète au sujet de ce voyage à Paris.

– Ça te tenterait-ti de visiter la place de l'Étoile ?

– Tu veux dire monter en haut de l'arc de Triomphe ?

– Oui. J'aimerais ça, voir l'étendue des grandes avenues, les douze pointes. Ça fait longtemps que je me demande si la place de l'Étoile a été conçue à la façon des vieilles villes, comme Rome, par exemple. Y avait vraiment des rites dans ce temps-là. Y fallait apprendre à fonder une ville. Même que ça s'enseignait. C'était pas comme asteure. Tu faisais pas ça n'importe comment.

Le jour ne se cachait plus du tout dans la chambre où Hans et Élizabeth se retrouvaient enlacés dans le silence de l'amour. Cette chambre quelque part en Grèce était à nouveau devenue à la fois lieu quelconque et centre du monde. Les trois axes s'en allaient dans les six directions, comme il se devait, et tous les chiffres concordaient, comme depuis toujours. Ils avaient touché à la quadrature du cercle. Et puisque rien ne pouvait s'ouvrir davantage, il fallait recommencer.

– Mais tu n'as pas peur de les perdre, ou de te les faire voler ?

Hans ne sut quoi répondre. Il avait craint qu'on le soupçonne de les avoir lui-même volés. Mais qu'on les lui vole, non, il n'y avait pas pensé. Et quant à les perdre, non, cela non plus ne lui était jamais venu à l'esprit.

Ce soir-là, lorsqu'elle aperçut Terry sortant le petit sachet à condom, Carmen lui dit :

– Laisse faire ça, t'as pas besoin d'en mettre.

Terry ne comprenait pas. Il n'avait pas encore reçu le résultat de son test de dépistage, et elle non plus. Carmen insista.

– J'sais que t'as pas le sida et je l'ai pas, moi non plus.

Terry ne savait plus quoi faire. Puis Carmen lui cria de la salle de bains :

– O. K., mets-le si tu veux, ben au moins fais un petit trou dedans pour que je peuve tomber enceinte.

Quatrième partie
Le domaine du perfectible

19

Depuis la rentrée des classes, ce sont surtout des écoliers que Terry accueillait à bord du *Beausoleil-Broussard*. Tout avait été mis en œuvre pour que les jeunes, qui arrivaient au parc quelque peu énervés et sautillants, ressortent de l'excursion calmes et édifiés. C'est dire à quel point la présentation des interprètes du parc avait dû être soigneusement préparée.

– Aimes-tu ça avec les jeunes ?

– *Well*, y en a qui sont pas mal fourrés partout. Aujourd'hui, y en a une qui a commencé à démancher le nom du bateau.

– Une fille ?

– Y a pus de différence asteure. Fille, gars...

– D'habitude y peinturont juste le nom... c'est pas de quoi qui se démanche.

– J'sais.

– ...

– ...

– ...

– Pareil, c'est supposé qu'y sont plusse smartes asteure.

Malgré ce qu'elle avait laissé entendre à Hans – propos qui avait un fond de vérité, du reste –, Élizabeth savait bien qu'il lui fallait mettre fin à ce voyage entrepris sur un coup de tête ou presque. Même si elle bénéficiait d'une bonne marge de manœuvre, tout cela ne pouvait durer éternellement. Et bien qu'elle avait aimé ses libres déambulations, cela ne la chagrinait pas trop d'y mettre fin. C'était plutôt sa relation avec Hans qui la laissait perplexe. Voulait-elle y mettre fin aussi, ou y avait-il quelque chose à prolonger ? Elle se disait que le plaisir de leur relation était lié au fait qu'ils s'étaient trouvés tous les deux libres, des décrocheurs presque, en même temps, dans un même moment de leur existence. Elle n'était pas certaine qu'il dût y avoir quelque chose de plus. Au fond, elle n'était pas certaine d'en vouloir plus. Cela voulait-il dire qu'elle n'était pas vraiment amoureuse de Hans ? Pourtant, elle l'aimait bien, et elle aimait l'aimer.

Terry emmenait aussi d'autres groupes en tournée. Il s'agissait parfois de collègues de travail en sortie organisée ou encore de congressistes réunis par affaires à Moncton. La saison des excursions devait prendre fin à la mi-octobre. Terry travaillerait une semaine de plus à remiser l'équipement. Ensuite, il se chercherait un emploi d'hiver ou toucherait des prestations d'assurance-emploi jusqu'à l'ouverture, le printemps suivant, de la nouvelle saison touristique. La perspective d'un hiver sans travail ne lui faisait pas peur. Il avait l'habitude des temps morts, et de toute façon, il y avait maintenant Carmen. C'était le premier amour vrai de sa vie.

— J'aime ton appartement. Je l'aime mieux que le mien. Y a plusse d'affaires à voir dehors.

— Le tien est plusse grand, pareil. J'aimerais que le mien seye aussi grand que le tien.

— Moi je trouve que c'est pas mal grand icitte.

– J'sais pas. On dirait que c'est trop petit. Des fois je viens que je vire en rond. J'sais pas où c'est me mettre.

– Ben dans ce temps-là, viens chez nous.

– Quoi c'est que tu crois que je fais !

Élizabeth se disait qu'elle avait peut-être surtout aimé se laisser aimer. C'était comme si elle avait découvert le confort amoureux. Ou le confort tout court. Elle n'était pas certaine que ce confort venait seulement de Hans. Peut-être se trouvait-il déjà en elle-même et qu'elle ne faisait que le découvrir. Peut-être encore avait-elle toujours su que ce confort était en elle, mais qu'elle n'avait jamais vraiment su comment l'apprivoiser, quoi en faire. Elle soupçonna qu'au fond, elle n'avait pas dû le croire important. À un moment donné, elle avait dû juger qu'on ne pouvait pas vivre de ça. Que le bien-être n'était pas une chose légitime. Qu'il fallait être plus, faire plus. Ces derniers temps, son confort lui semblait toujours à portée de main, collé à sa peau, que Hans avait si tendrement effleurée, rafraîchie et réchauffée, réveillée et endormie. Tout cela, elle le portait maintenant en elle. Elle en avait conscience. Et c'était comme une paix.

Quelques semaines avant la fin de la saison, Terry apprit qu'il devrait bientôt accueillir un groupe de dignitaires importants à bord du *Beausoleil-Broussard*. Il s'agissait de la délégation chargée de l'organisation du Sommet de la francophonie, qui aurait lieu à Moncton, l'année suivante. L'excursion huppée était prévue pour le vendredi 16 octobre. Les promenades sur la Petitcodiac auraient normalement dû prendre fin quelques jours plus tôt, mais la venue des dignitaires représentait une circonstance suffisamment exceptionnelle pour qu'on prolonge quelque peu la saison.

– Y voulont juste voir quoi c'est que c'est. Peut-être que ça fera partie du programme officiel. Peux-tu voir ça, tout ce monde-là sus la Petitcodiac ?

– Ça marchera pas.

– À cause ?

– Y auront pas le temps. Trop d'affaires à faire. Y faisont des grandes histoires avec ces assemblées-là pis des fois ça dure pas même deux jours.

– ...

– ...

– Ben, même-ti, on sait jamais.

– C'est vrai. On sait jamais.

– ...

– ...

– ...

– Si y a de l'eau dans la rivière au bon temps... Que ça s'adonne ben avec leur programme.

Il fallait bien que je retourne voir Marie pour lui dire comment les choses tournaient. Cette fois-ci, elle faisait du rangement, mais elle venait de mettre un pâté à la râpure au four.

– On est allés à la Baie en fin de semaine, ça fait que j'en ai rapporté plusieurs. Tu vas rester à dîner, j'espère !

Marie avait marié un Surette de Grosses-Coques. Comme il était l'aîné d'une famille nombreuse, il retournait souvent en Nouvelle-Écosse, chaque fois que s'organisait une rencontre familiale importante.

– Pis ! Quand c'est que tu pars ?

– Dans douze jours exactement, le 14. Un mercredi. Tu devineras pas avec qui ?

Les yeux de Marie pétillaient. Je ne voulais pas vraiment la faire jouer à la devinette.

– Avec Camil Gaudain.

– Pas avec Camil ! Quelle bonne idée !

– Je le connais pas plusse que ça. Ç'a adonné de même, qu'on se rencontre pis qu'on se mette à jaser. D'une affaire à l'autre, j'y ai demandé de venir avec moi.

– C'est le gars parfait ! Gentil comme ça se peut pas ! Tu vois que tout a fini par s'arranger ! Je le savais que ça s'arrangerait.

Je l'ai déjà dit, la confiance de Marie est sans limite. C'est quelque chose qui la dépasse.

– T'as de la chance de voir les choses comme ça.

– Moi c'est ça, d'autres c'est d'autre chose. Toi t'écris.

– Je crois ben.

Là-dessus, Marie s'impatienta.

– Je vas t'en faire des « je crois ben » ! Y te faisont venir à Paris pour que t'alles parler à la télévision ! Quoi c'est que tu veux de plusse ?

Je fus bien obligée de reconnaître qu'elle avait raison.

– T'as raison.

– Ma chère, on va te faire faire ton chemin dans la vie, veux, veux pas !

Et sur ces mots, elle grimpa pour atteindre un minuscule flacon rangé tout en haut d'une armoire.

– Tiens. C'est de l'essence de lavande. C'est supposé que ça aide à relaxer sus l'avion. Pis ça sent bon, regarde.

Elle ouvrit la petite bouteille, me la tendit sous le nez. Le parfum de lavande me remplit les narines, recouvrant pendant quelques secondes la délicieuse odeur de râpure qui commençait à embaumer la cuisine.

20

Terry n'osait pas trop se l'avouer, mais cette excursion avec des dignitaires français ne le laissait pas tranquille. Carmen sentait son agitation.

– Tiens, tu liras ça.

Terry avait pris les livres. C'était deux albums d'*Astérix*. Il en ouvrit un.

– Crois-tu que je vas comprendre ?

Puis Carmen sortit quelque chose de sa poche.

– Awh, pis j'ai trouvé ça aussi.

Terry tendit la main.

– Ma médalle ? Je m'ai pas même aperçu que je l'avais oubliée.

Hans sait depuis quelques jours que le départ d'Élizabeth est imminent. Il a toujours su qu'ils se quitteraient, mais il avait tâché de ne pas trop y penser. Maintenant, plutôt que de s'attrister, il s'émerveille de l'espèce de perfection qui l'a mené jusqu'ici, dans cette chambre, en présence d'une femme admirable, mais à qui, tout compte fait, il ne veut pas s'accrocher. Cette perfection se manifeste chaque fois qu'il prend un vêtement dans la garde-robe pour le plier et le placer dans sa valise. Elle se cache dans l'ordre et la logique derrière le geste, dans l'idée qui enveloppe tantôt le geste, tantôt la chose, son chandail de laine plié, ses deux camisoles. Hans trouve du confort là-dedans, dans ses vêtements – ses chaussettes de laine et ses deux pantalons, l'un en coton épais, l'autre de velours côtelé, ses t-shirts et ses polos –, dans les repères de sa valise, dans son couteau suisse et son tire-bouchon, dans sa destination prochaine, même nébuleuse, même inconnue. Et puis il y a sa veste, qu'il avait mis grand soin à choisir, et qu'il garde toujours à la portée de la main, sa veste qui, comme une armure, le rassemble et le protège du monde.

Il y avait déjà un bout de temps que je préparais petit à petit mes bagages pour Paris. Je prenais note des choses que je voulais apporter à mesure que j'y pensais. Je craignais surtout d'oublier de ces articles sécurisants qui me tireraient peut-être d'affaire si je devais être prise de panique à bord de l'avion : baladeur et cassettes variées, aptes à contrebalancer n'importe quel état d'énervement, y compris une cassette de relaxation ; granules homéopathiques ; bijoux et autres *gréments* en cuivre censés m'aider à garder un contact avec le sol ; un petit livre sur le lâcher prise ; une bouteille d'eau et un petit quelque chose de parfaitement sain à grignoter, en dépit du fait que la présence de nourriture dans mes bagages peut avoir un effet pervers et provoquer la panique au lieu de l'apaiser ; des calmants malgré tout ; deux livres de poche et une revue, tous choisis en fonction de mon besoin de paraître normale, à défaut de l'être ; de la gomme à mâcher, principalement pour en offrir aux autres ; un petit jeu électronique ; papier et stylos, au cas où, encore une fois, ce serait l'écriture qui me sauverait. Tout cela dans un de ces beaux grands sacs en cuir souple et à compartiments multiples, que je m'étais procuré à la fois pour me fondre dans le paysage, pour me sentir à la mode et pour atteindre un haut degré d'organisation de moi-même. Tout de même, je ne parvenais pas à oublier l'énormité de mon camouflage, et je pressentais déjà le jour où je me rendrais à l'aéroport dans ce déguisement de normalité, presque aussi lourd à porter physiquement que mentalement. Malgré moi, je craignais de ne pas réussir à prendre l'avion comme une personne entière ou, encore mieux, comme une écrivaine dont on reconnaissait enfin le talent et la pertinence. Je me voyais plutôt m'embarquer avec l'indécrottable impression de n'être rien d'autre qu'une trousse de survivance ambulante, un paquet de solutions de rechange.

Peu à peu, télécommande en main, Terry laissait défiler de plus en plus longtemps devant ses yeux les émissions de la chaîne TV5. Un soir, il y fut question des rivières de France.

– C'est *weird* pareil, les noms de leu' rivières. La Somme, la Meuse, la Garonne, la Loire... On dirait quasiment qu'y parlont une autre langue.

Et effectivement, une fois sortis de sa bouche, ces mots semblaient n'aller nulle part ; ils restaient suspendus dans l'air, libres de toute gravité, de toute réalité, de toute matérialité, de toute image, de toute idée préconçue.

– J'sais quoi c'est que tu veux dire. On dirait que ça nous avient pas de se rouvrir la bouche de même.

– Loire. La Loire...

– Ben là, c'est pas si différent que ça. C'est presque pareil comme gloire.

– Oui, ben c'est pas un mot qu'on dit si souvent que ça, par icitte. Gloire. Le monde dit plusse *glouère*. J'sais pas à cause.

Élizabeth et Hans se quittèrent donc à l'aéroport de Tel Aviv. D'une chose à l'autre, après la Grèce, ils s'étaient retrouvés sur les bords du Jourdain. Hans portait toujours douze petits diamants dans une pochette contre sa poitrine, invisibles même pour les détecteurs de métal des aérogares. Élizabeth avait toujours en elle et autour d'elle cette sensation de confort, cette impression de n'être plus tout à fait étrangère. Étrangère à quoi ? Aux autres ? À elle-même ? Au tout ? Tout cela à la fois. Hans, qu'elle s'apprêtait à quitter, elle ne le quittait pas vraiment. Ils se reverraient peut-être. Leurs chemins pourraient se croiser de nouveau, tôt ou tard. Rien ne pressait. Ce sentiment du temps retrouvé faisait aussi partie du confort d'Élizabeth : le temps était redevenu une bonne chose.

Pour Hans aussi la vie allait continuer. Cette rencontre avec Élizabeth avait été pleine de réjouissance, mais elle était survenue de façon tout à fait inattendue. Longuement il avait observé Élizabeth, assise à la terrasse de ce petit restaurant de Corfou, avant de s'approcher de sa table et de lui adresser la parole. Il n'était pas parti de si loin, psychologiquement s'entend – les Pays-Bas n'étant pas tellement loin de la Méditerranée –, pour tout laisser tomber à la vue d'une belle femme, aussi exceptionnelle fût-elle. Hans ne cherchait ni *une* femme ni *la* femme. En réalité, il ne cherchait rien en particulier. Son dépouillement, puis son départ se dessinaient devant lui comme un long parcours vers l'avant, vers quelque chose dont il ne pouvait avoir connaissance, et qu'il lui était par conséquent impossible de chercher. Mais puisqu'il ne cherchait pas une femme, qu'avait représenté, alors, cette rencontre d'Élizabeth ? Un test ? Une épreuve ? Un piège ? Un faux départ ? Rien de tout cela n'éveillait de résonance en Hans. Il lui semblait plutôt que la rencontre d'Élizabeth avait été la rencontre de lui-même, la rencontre de Hans avec Hans, par le truchement de la douceur, de la beauté et de l'intelligence, par le truchement de l'âme dans le corps, et de l'autre en lui-même. Et c'était sans doute pour cela qu'il avait longuement regardé Élizabeth à la petite table de la terrasse avant de s'approcher d'elle, pour l'aimer pour elle-même, avant de l'aimer pour lui.

Avant de franchir le premier point de non retour, celui où les agents de sécurité radiographieraient le contenu de mon sac, Camil Gaudain m'avait tout à fait amicalement suggéré de me laisser aller et de jouir de mon voyage. Il ne pouvait pas savoir à quel point je me sentais chargée comme un arbre de Noël, aux bougies électriques plus ou moins défectueuses, et dont il était absolument impossible de prévoir lesquelles finiraient par allumer... ou exploser.

– Es-tu O. K. ?

– Pas si pire.

21

J e m'attendais à subir le premier effet paradoxal de ma condition d'agoraphobe tout juste après le décollage, en plein ciel, quand il n'y aurait vraiment plus aucune possibilité de rebrousser chemin. C'est toujours dans ces moments qu'une vague d'impressions et de sensations désagréables m'envahit et me submerge, vague dont je crains surtout qu'elle me soit fatale. Jusqu'à présent, cet envahissement engloutissant a toujours fini par se désamorcer, mais non sans me laisser ébranlée, affaiblie, vulnérable. Alors, fébrile et perplexe, m'accrochant à tout et à rien, je deviens ni plus ni moins obligée de voir la vie sous d'autres angles, ce qui, en soi, n'est pas une mauvaise chose.

Camil Gaudain n'essaya pas de me distraire superficiellement de ma démence temporaire. Il avait très bien compris son rôle de bouée de sauvetage et flotta discrètement à mes côtés, prêt à intervenir si jamais je me mettais à me noyer vraiment. Il observait donc calmement tout ce qui se passait, me faisant part à l'occasion de détails sortant de l'ordinaire. Quelque temps après le décollage, il devint plus jasant.

– Tu sais, un temps passé, quand je m'ennuyais à travailler, je m'étais inscrit à des cours du soir, à l'université. Les grands classiques m'avaient toujours intéressé, et d'une chose à l'autre, demande-moi pas pourquoi, j'ai lu Freud, Jung et ce monde-là.

Un agent de bord passa, nous sourit bien gentiment, demanda si tout allait bien. À ce point-là, je pouvais honnêtement répondre que oui. J'étais même capable de faire un peu de conversation.

– J'sais pas si c'est moi qui me fais des idées, mais j'ai tout le temps l'impression que les hommes de bord sont plus gentils, plus sincèrement attentifs aux passagers que les femmes.

– Vraiment ?

– On dirait que les femmes marchent tout droit sans nous regarder vraiment. C'est comme si du commencement, a choisissaient des préférés, la plupart du temps des hommes, et qu'a mettaient toute leur énergie à les chouchouter jusqu'à la fin du vol.

Pendant les minutes qui suivirent, nous comparâmes *in situ* le comportement des agents et des agentes de bord. Camil me donna raison.

– Sais-tu, on dirait que c'est vrai. Les hommes ont l'air de plusse s'occuper de tout le monde. J'avais jamais remarqué ça avant.

Mais je ne tenais pas à avoir raison sur toute la ligne.

– Ben, y en a une là-bas qui a pas l'air de faire de différence. Mais c'est la seule. On dirait que les autres veulent toutes rien voir.

Ce soir-là, n'arrivant pas à dormir, Carmen se redressa dans le lit, alluma une cigarette. Terry allongea paresseusement la main sur sa cuisse, mais il n'avait pas l'intention d'en faire davantage.

– Quoi c'est que tu dirais qu'on alle passer l'hiver par là ?

– ...

Elle savait que Terry ne dormait pas.

– Hein ? Quoi c'est que t'en penses ?

– Où ça ?

– En Louisiane, ou en France.

– ...

– On décidera sus une *game* de *pool*. Si tu gagnes, on va en Louisiane ; si moi je gagne, on va en France.

Terry se retourna enfin, mais lentement, puis s'assit, comme si tout cela était très sérieux.

– Tu veux dire pour tout l'hiver ?

– Aussi longtemps qu'on pourra. On reviendra au printemps. Ou on restera plusse longtemps. On sait jamais, peut-être qu'on voudra pas s'en venir.

Terry regarda le visage de Carmen. Il essayait de voir si une chose aussi importante pouvait se décider de cette façon. Il crut comprendre que oui.

Ayant vécu toute sa vie sur le bord de l'eau, Camil aussi avait de la suite dans les idées. Il reprit donc la conversation exactement là où l'agent de bord sympathique nous avait fait dévier.

– En tout cas, ce que je me rappelle de Jung, surtout, c'est le sacrifice de l'intelligence. J'ai souvent pensé à cette idée-là, que ce qui nous nuit, c'est notre intelligence. Qu'on peut pas tout comprendre.

– ...

– J'sais pas pourquoi je te conte ça.

Je mijotais le concept.

– Ça serait-ti ben la même chose que la sainte indifférence ?

Camil réfléchit un instant.

– On dirait que ça pourrait se rejoindre.

– ...

– ...

– ...

– Je crois pas que Jung était catholique.

Puis, après une autre courte pause, il ajouta :

– C'est drôle comment c'est que j'ai toujours aimé les écrivains. Je dis pas ça parce que t'es là. Non, c'est vrai. Je trouve que c'est pas du monde comme les autres. Y ont toujours de quoi qui marche de travers, pis c'est souvent ça qui leur apporte du succès.

Puis :

– Ben, si j'y pense vraiment, je peux pas dire que je les aime vraiment tout'. Mais c'est comme si j'étais disposé à tout' les aimer.

Sur ces mots, il éclata de rire, et se tourna résolument vers moi.

– Comme tu peux voir, j'ai pas le sida pour rien.

Terry regardait devant lui, réfléchissait à la proposition de Carmen, qui écrasait les cendres dans le cendrier avec le bout de sa cigarette.

– ...

– ...

– Y a juste une affaire.

– Quoi ?

– Si on va en France, faudra peut-être que tu changes ton nom. Là-bas, y s'appelont Thierry.

Terry éclata de rire, se laissa tomber sur le dos dans le lit. Carmen adorait l'entendre rire.

En fin de compte, le vol jusqu'à Paris se déroula très bien. La compagnie de Camil avait été très décontractante et je n'eus pas à recourir à ma trousse de sauvetage. Toutefois, j'avais eu l'occasion de sortir le flacon d'essence de lavande, que j'avais gardé dans une poche, pour le faire sentir à Camil.

– C'est Marie Surette qui m'a donné ça.

– Pas Marie à Édée ! Ça vient de par chez nous, ça, du Bas-Cap-Pelé. Une vraie bougresse !

Après l'atterrissage, dans l'aérogare même, Camil fit preuve d'un flair hors pair. Il suivit le flot de la circulation sans se poser trop de questions, ce qui eut comme résultat de nous faire aboutir le plus naturellement du monde exactement là où nous devions. Dans cette suite interminable d'allées et de couloirs, où normalement je me serais sentie au bord de l'effondrement, j'avançai comme sur un coussin d'air, emmitouflée dans la chaude sensation d'avoir survécu au pire.

– Camil, je te remercie beaucoup de faire ce voyage-icitte avec moi. Je l'apprécie vraiment.

– Ma chère, fais-toi-z'en pas. C'est un vrai plaisir pour moi aussi.

Nous avancions dans un couloir tout en verre quand je vis venir, dans le sens contraire, une femme que je reconnaissais.

– C'est-ti pas quelqu'un de Moncton là-bas ? La femme avec le manteau brun gris ?

Camil l'examina mine de rien.

– Es-tu sûre ?

– Je crois que c'est une spécialiste de l'hôpital.

– Une psychiatre ?

– Non, en oncologie, je crois.

– Une Française ?

– Je croyais pas. Ben peut-être.

– A fait pas zire, en tout cas.

Juste comme nous la croisions, Élizabeth tourna la tête dans notre direction et nous aperçut la regardant. Elle sourit, quoiqu'un peu timidement. Quelques pas plus loin, hors de la portée de son regard, Camil ajouta :

– A doit pas savoir d'où c'est qu'on vient.

– Tant qu'à ça, je me le demande souvent moi-même.

Terry ne savait pas quoi penser. Il ne savait même plus comment penser.

– J'ai faim.

Carmen était en train d'écraser son mégot.

– J'ai tout' ça qu'y faut pour faire des *nachos*.

– Même de la crème sure ?

– Même de la crème sure.

– Surie naturellement ou artificiellement ?

Là, Terry savait qu'elle charriait.

– En veux-tu, oui ou non ?

– Peux-tu m'en faire avec pas de *jalapeños* ? Je dormirai pas de la nuit si je mange ces affaires-là.

– Dormir ? Crois-tu que je vas dormir, moi, asteure, avec les idées folles que tu me mets dans la tête ?

22

Le soleil était au rendez-vous, mais il faisait frisquet, le matin du 16, quand Terry se rendit au quai pour l'excursion des dignitaires. En cours de route, il se félicita d'avoir pensé à s'habiller plus chaudement que de coutume, pour ne pas avoir à subir le froid en plus de sa crainte d'être intimidé.

Les visiteurs s'amenèrent, comme prévu, à neuf heures trente. Quatre voitures de location scintillantes déposèrent dans le stationnement du parc une quinzaine de dignitaires plus ou moins mal vêtues pour l'occasion : deux Français, dont un écrivain ; trois Africains ; quatre représentants des services de sécurité nationale ; les maires de Dieppe et de Moncton ; et une demi-douzaine de représentants gouvernementaux, dont deux ministres provinciaux. Trois femmes faisaient partie du groupe, deux hautes fonctionnaires, et une cadre supérieure provenant des services de sécurité. Au total, une vingtaine de personnes montèrent à bord du *Beausoleil-Broussard*, en incluant les interprètes en histoire et en écologie choisis pour la mission, ainsi que le directeur du parc, qui tenait absolument à faire partie de la distribution.

Au cours de la journée précédant l'enregistrement de *Bouillon de culture*, nous nous sommes promenés tout à fait librement dans Paris, Camil et moi, le temps de nous refaire l'oreille aux accents et aux intonations et, passant sans doute pour des touristes américains, de nous faire répondre en anglais plus souvent qu'à notre goût. Quand nous étions fatigués, nous nous arrêtions dans des cafés.

– C'est étrange. C'est comme si y nous entendaient pas.

– J'sais.

– Peut-être que juste avant de nous entendre, y nous voient, pis là, y a comme de quoi qui cloche dans leur tête.

– Tu crois qu'on a de l'air si pire que ça ?

– J'sais pas. Des fois, ça prend pas grand-chose.

– ...

– ...

– Peut-être qu'y entendent personne vraiment.

– Y a ça aussi.

Terry avait procédé cinq fois plutôt qu'une aux vérifications de rigueur avant de larguer les amarres et de laisser le *Beausoleil-Broussard* prendre le large du Coude, au pied de la Terre-Rouge. La rivière semblait regorger d'eau ce jour-là, ce qui favorisait une véritable excursion aquatique plutôt qu'un long glissement vaseux. Le soleil était aussi de la partie : avant même d'arriver à la pointe aux Renards, il n'y avait plus personne qui grelottait. À ce premier arrêt de l'excursion, les interprètes relatèrent assez brillamment l'histoire passée, présente et même à venir de l'Acadie, au rythme des vagues de peuplement et de dépeuplement des marais de la Petitcodiac. Même Terry s'y laissa prendre. En dirigeant le *Beausoleil-Broussard* vers le second et dernier arrêt de la visite, soit le site de l'aboiteau, Terry réalisa que le fait de voir ce paysage si familier à travers les yeux des délégués étrangers venait ajouter à sa compréhension. Et pour la première fois, il se réjouit d'avoir été choisi comme pilote de l'excursion.

Un goûter typiquement acadien – soupe du devant de porte, râpure, poutine à trou – avait été prévu au restaurant Le Clapet, après le passage dans l'aboiteau géant. Les interprètes donneraient une partie de leur exposé sur cette technique archaïque mais efficace d'assèchement des terres à l'entrée de la structure, avant que le bateau ne pénètre dans le clapet comme tel. Après l'exposé, comme d'habitude, le *Beausoleil-Broussard* attendrait le déploiement d'un courant artificiel pour entrer dans l'aboiteau et rejoindre sa propre histoire. Rendus à l'intérieur de l'énorme gueule en bois recouverte de terre et de foin salé, les visiteurs recevraient d'autres explications sur la mécanique de pointe conçue par les ingénieurs du parc pour créer cette impressionnante reproduction.

Une fois dans les studios de *Bouillon de culture*, les choses se précipitèrent quelque peu pour Camil et moi. Je me retrouvai, dans le temps de le dire, sous les projecteurs de la télévision française comme dans un rêve aux raccords illogiques et surprenants. Puis le célèbre animateur se tourna vers moi.

– ... ce livre dans lequel non seulement vous vous avouez agoraphobe, mais dans lequel vous revendiquez cette maladie ! Tout de même !

– Bien, vous savez, comme l'a si bien dit votre académicien Jean Delay, toute maladie nerveuse est une révolution.

– Ah bon ?

– Oui, parce qu'à l'échelle de l'évolution, à l'échelle biologique, si vous voulez, tout est affaire d'adaptation.

Tout se développe en réponse à l'environnement, au milieu ambiant. Ces changements sont à la fois infiniment précis et infiniment lents, mais quand ils s'installent, c'est pour longtemps. Du point de vue, donc, de cet enracinement biologique inouï, de ces innombrables couches de vie dont nous sommes dépositaires, une réaction d'inadaptation, même banale, correspond ni plus ni moins à une levée de boucliers. Que nous ayons encore la force et la spécificité de réagir, voilà qui est étonnant, et réjouissant. Et ce sont ces attributs-là que l'on aime des révolutions : leur force et leur spécificité.

Pendant une fraction de seconde, j'eus presque peur. Je n'avais pas imaginé que je m'enflammerais aussi vite. Je craignais pour la suite. Bernard Pivot aussi, je crois.

— Dites donc. Vous ne lisez pas qu'Antonine Maillet, en Acadie !

— Non, nous ne lisons pas qu'elle. Mais son œuvre nous aide beaucoup à nous lire nous-mêmes, comme peuple. Les révolutions ne sont pas toutes sanglantes. Certaines passent même inaperçues. Un jour, comme ça, on découvre qu'elles ont eu lieu.

— Mais revenons à votre livre et à l'agoraphobie...

Ici monsieur Pivot fit remarquer qu'en France, ce malaise est mieux connu sous d'autres appellations, notamment la spasmophilie, ou le syndrome de fatigue chronique, quand il n'est pas tout simplement associé à un quelconque déséquilibre neurovégétatif.

— ... cette peur des espaces libres donc, ce besoin d'enfermement, vous ne préféreriez pas guérir de ce mal-être peu commode plutôt que de vous y accrocher en portant le flambeau de la révolution ?

— Il est difficile de ne pas réagir devant le fait que ce sont surtout les femmes qui en souffrent. Comment accepter cela ? Je milite donc en faveur de la démocratisation de l'agoraphobie. Il faut faire en sorte que cette maladie soit répartie également entre les hommes et les femmes.

– Vous êtes féministe ?

– Comment ne pas être pour le bonheur des femmes autant que pour celui des hommes, des enfants, des vieillards...

– Je reviens à ma question de tout à l'heure : vous ne préféreriez pas guérir plutôt que de porter le flambeau de la révolution ?

– C'est vrai que l'agoraphobie n'a rien de commode. J'ai même douté de pouvoir me rendre ici, à votre émission.

– Ah bon ? À ce point ?

– Oui, l'avion, les couloirs, les foules, les édifices qui penchent...

– Les édifices qui penchent ?

– Oui, à certains coins de rue. C'est assez particulier.

– Mais cela se guérit...

– Il paraît qu'il y en a qui guérissent.

Ici, Bernard Pivot fit ce que j'avais hâte qu'il fasse, qu'il ouvre mon livre et qu'il en lise un extrait. Il choisit celui où il est question d'Hercule et des oiseaux du lac de Stymphale. Puis il me demanda :

– Laissez-vous entendre par là que l'Acadie tue les voyageurs ?

– Ce serait mal connaître l'histoire de l'Acadie que de dire que les Acadiens ne sont pas voyageurs. Mais dans mon cas, c'est peut-être vrai. Mais si la voyageuse est morte, le voyage, lui, continue.

Cela fit rire Bernard Pivot. J'aime quand Bernard Pivot rit. Puis il reprit mon livre, l'ouvrant cette fois à la page 118.

– Alors ce sens du détachement, ce sixième sens acadien, vous ne l'avez pas non plus ?

– Non, plus beaucoup. Je deviendrais plutôt comme à la page 112. Fossile.

– Vous ne voudriez pas plutôt dire monumentale ? Comme ce cube de granit ?

Là c'est moi qui éclatai de rire. Et de surprise.

– Oh ! la ! la ! Lacan ! Quelqu'un ! Au secours !

La Petitcodiac ayant plus d'une fois démontré qu'elle n'est pas toujours d'humeur à se laisser harnacher, il n'en fallut pas plus, ce jour-là, pour que quelque chose se dérègle. Les courants réels et les courants artificiels se heurtèrent de plein fouet et, le clapet ne parvenant plus à s'ouvrir, le *Beausoleil-Broussard*, qui était censé rester enfermé seulement une dizaine de minutes dans l'aboiteau géant, y demeura coincé pendant près d'une heure. Il y eut d'abord consternation générale, puis étonnement devant le fait que le problème n'était jamais survenu auparavant. Mais ce n'est que quand les dignitaires se rendirent compte que tous les téléphones cellulaires étaient également tombés en panne que l'affaire prit une réelle dimension.

Dans un premier temps, Terry, qui pouvait communiquer avec les techniciens sur la terre ferme par radio maritime, s'affaira à chercher avec eux une façon de sortir cette équipée de l'avenir de ce pétrin historique. Obéissant à leurs directives, il procéda à quelques vérifications élémentaires, mais au bout du compte, il n'y eut plus rien à faire. Il fallait simplement patienter, attendre que les courants se rétablissent et que les mécanismes complexes retrouvent leur élan naturel.

Terry venait juste de s'installer pour commencer à patienter quand l'écrivain de la délégation française se pointa dans la cabine. Il s'avança sans rien dire et se mit à regarder tout droit devant, dans la petite ouverture qui laissait voir la lumière et les champs de l'autre bord de la digue.

– J'ai pas de veine.

Un peu figé, Terry ne s'aventura pas à répondre, mais il jeta un coup d'œil furtif aux poignets de l'homme, à tout hasard.

– Ça ne vous ennuie pas, vous ?

Terry hésita.

– Si je m'ennuie ?

Le Français crut simplement que Terry n'avait pas bien entendu sa question.

– Ça ne vous ennuie pas... de rester coincé comme ça, enfermé ?

Terry chercha une réponse simple.

– Non. Je dois être accoutumé.

– Moi je déteste. Ça me donne les boules.

Terry essaya de s'imaginer ce que ça pouvait vouloir dire d'avoir des boules. Il ne savait pas non plus quelle grosseur de boules imaginer. Il pensa simultanément à des boules à mites et à des boules de billard. Comme l'homme à côté de lui restait là sans parler, il finit par le trouver plutôt humain, voulut l'encourager.

– Ça devrait pas durer trop longtemps. Y savont où c'est qu'est la faute.

– ...

– ...

– Je peux en tirer une ?

Terry comprit en voyant le paquet de cigarettes dans la main du délégué. Presque plus personne n'avait le droit de fumer en public au Canada, mais Terry n'avait pas le cœur de le dire à cet homme pâle et cerné qui manquait d'air. Il s'avança, ouvrit une petite fenêtre de côté et en ferma une autre derrière eux.

– Ça serait mieux si tu pouvais envoyer la boucane par là.

L'homme lui en offrit une, mais Terry ne se serait pas permis un tel écart de conduite avec le directeur du parc à bord de son bateau.

– ...

– ...

– C'est beau quand même, le Canada. Les grands espaces...

– C'est pas pire.

– ...

– Ben, pour dire le vrai, des fois moi, je trouve ça trop grand vraiment. Ça finit pus.

– ...

– ...

– Pardonnez-moi, je n'ai pas retenu votre nom.

– Terry.

– Thierry ?

– Terry. Terrence. Terrence Thibodeau.

– Terrence Thibodeau. C'est typiquement acadien comme nom ?

– J'sais pas. Je croirais que oui.

Les mots sortaient de ma bouche comme s'ils n'avaient attendu que ça. Du coin de l'œil, je voyais Camil dans l'auditoire. Je ne savais pas quoi lire dans son air étonné : devais-je me retenir ou, au contraire, aller encore plus loin ? Bernard Pivot revenait vite à la charge.

– Dans ce livre vous évoquez aussi les relations diffici-les, confuses entre les Acadiens et la France... Vous décrivez un incident qui se passe sur la rivière... Attendez un peu, que je prononce le mot correctement.

Il feuilleta *Pas pire*, trouva la bonne page.

– Voilà, ici... la rivière Pe-tit-co-di-ac. Il y a toute une délégation de dignitaires à bord d'un bateau-ponton, délégation au sein de laquelle figurent quelques Français, dont un écrivain. Et il n'y a que cet écrivain qui se donne la peine d'aller parler au jeune capitaine du bateau. Dites-vous par là que seuls les écrivains sont un peu sensibles à la vie et aux gens ordinaires autour d'eux ?

– Peut-être. Il faut bien entretenir encore quelques mythes. Mais il ne faut pas oublier que cet écrivain a la trouille et qu'il s'approche de Terry, le commun des mortels, dans l'espoir justement de s'accrocher à la réalité.

– Bien, justement, parlons-en de ce jeune Terry, tout à fait sympathique, qui se demande si une personne peut survivre sans avoir lu la Bible. En fait, c'est plutôt de son oncle qu'il faudrait parler. Alphonse Thibodeau, ce ministre de la Culture, qui est aussi amateur de vin.

– Oui, le vin déteint de plus en plus sur nous.

– Ce ministre, il existe en vrai, ou c'est un personnage fictif ? Parce que dans votre livre, je ne sais pas si c'est un style courant chez vous, on ne distingue pas très bien le réel de la fiction.

– Alphonse Thibodeau, ministre de la Culture, est un personnage fictif.

– Mais vous avez un ministre de la Culture...

– Mmmoui...

– Et qu'est-ce qu'il – ou elle – fait au juste ?

– Ah, beaucoup de choses. Il s'occupe entre autres des municipalités et de l'habitation.

– Ah bon ? Et qui s'occupe de la langue, des arts ?

– Bien, un peu tout le monde, et un peu personne.

– Et ça fonctionne ?

– Vous devriez venir voir. Vous pourriez juger par vous-même.

– Il y aurait encore beaucoup de choses qu'on pourrait dire de ce livre, beaucoup de métaphores et d'évocations qu'il serait intéressant d'explorer, cette œuvre de Bruegel l'Ancien, par exemple, et puis le Débarquement de Dieppe avec sa tirade sur l'héroïsme. Il y a aussi cette réflexion quant à l'impact du tourisme sur les anciens mythes, dont celui de Sisyphe et du loisir impossible. Et puis il y a la symbolique de l'escargot, la symbolique du triangle et de la Trinité.

Monsieur Pivot leva la tête de ses notes et me regarda. J'eus peur qu'il me questionne sur cette histoire de trinité. Avais-je vraiment parlé de ça ?

– Et ces passages sur l'astrologie... si j'ai bien compris, ce livre se situerait dans l'ambiance de la Maison XII, qui serait ni plus ni moins la maison de la tentation autobiographique.

Je trouvai la remarque très pertinente.

– En effet. Je n'y avais pas pensé, mais c'est très juste.

– Cette tentation autobiographique est très répandue aujourd'hui...

– Oui. C'est l'être pauvre qui raconte son histoire, comme l'a très bien décrit Raymond Carver dans sa nouvelle intitulée *Le bout des doigts*. En ce qui me concerne, je dois dire que ce côté autobiographique m'embête un peu. J'aurais préféré l'éviter, mais je n'ai pu faire autrement. Je ne sais pas pourquoi, mais je ne voulais pas, je ne pouvais pas cacher le vrai, le douloureusement vrai, dans un personnage fictif, bien que cela me gêne de me dévoiler ainsi.

– On n'échappe pas à son époque.

– C'est vrai. Je ne sais plus qui disait que les artistes n'ont peut-être pas autant de liberté qu'on voudrait croire, que la liberté n'est pas un absolu, que chaque époque en reçoit une certaine dose, et que même les artistes doivent s'en satisfaire. Ça me revient, c'est Kandinsky, je crois, qui a dit cela.

23

Terry croyait avoir tout raconté à Carmen de la demi-heure qu'il avait passée en compagnie du Français anxieux dans la cabine de pilotage. Mais au fil des jours, il se rendit compte qu'il avait toujours quelque bribe à rajouter.

– Y m'a demandé à quoi c'est que la Petitcodiac ressemblait l'hiver.

– Quoi c'est que t'as dit ?

– Ben, fallait que j'y pense. J'avais jamais essayé de dire ça de ma vie. T'as jamais besoin de le dire quand tout le monde le voit.

– Ça fait que quoi c'est que t'as dit ?

– J'ai dit que l'eau gelait pas, ben que ça s'emplissait de neige pis de glace tout autour, pis qu'y avait comme un grand mur de terre pis de glace qui montait de chaque bord. Pis c'est en y expliquant ça que j'ai vu que c'est dans ce temps-là que c'est le plusse beau vraiment. Quand ça ressemble à rien d'autre, juste à de l'eau qui coule entre deux murs de terre pis de glace, des fois avec une petite brume au-dessus.

– Crois-tu qu'y pouvait s'imaginer ?

– Ben, j'sais pas. Je crois pas.

– ...

– *But* y m'a donné sa carte.

– Sa carte ?

Terry sortit la carte d'affaires et la donna à Carmen. Elle l'étudia, la lui remit.

– Garde ça. On sait jamais.

Terry reprit la carte, la rentra dans la petite crevasse du portefeuille d'où elle était sortie.

– ...

– Je me demande où c'est que c'est la Creuse.

Camil avait beaucoup aimé assister à l'enregistrement de *Bouillon de culture*. Pendant le reste de notre séjour, il affirma plus d'une fois qu'il était enchanté d'avoir accepté de faire ce voyage avec moi.

– Pis j'ai vraiment aimé t'entendre. C'est vraiment intéressant ce que t'as à dire. Je trouve que t'es brillante. Sérieusement. J'en reviens pas que tu viens de par chez nous.

– Ben, pour dire le vrai, des fois ça serait plus simple si j'étais juste normale.

– Ah, nous autres les Acadiens, on a ben de la misère quand on se distingue. C'est comme si qu'on avait peur de briller.

Il était midi, la faim commençait à nous tenailler. Nous entrâmes dans un petit café plutôt ordinaire.

– Je pense que je vas juste prendre un hot-dog sur baguette.

– Bonne idée. Tant qu'à être à Paris...

Après le départ d'Élizabeth, Hans erra quelque peu à la surface du globe comme à la surface des choses. Il ne chercha pas activement une nouvelle destination, se contentant de s'imaginer des contextes et des ambiances, des climats et des fonds sonores. Il regarda vivre la vie, se laissa porter par elle, s'en laissa inspirer. Des mondes dé-filaient dans son esprit. Certains l'appelaient, d'autres le laissaient passer. Cette vie sans but ultime lui parut inté-ressante en elle-même. Elle lui parut valable dans sa légè-reté même, aussi fragile qu'exigeante dans son équilibre. Il prit donc le temps de la savourer, sans trop l'analyser, sans trop essayer de la décrire. Il se laissa pénétrer de ce qui voulait pénétrer, bifurquait quand cela voulait bifur-quer, finissait toujours par se retrouver quelque part. Et au bout du compte – fût-ce quelques jours ou quelques semaines –, il se trouva à aimer que la terre soit ronde. Tout simplement.

Je mâchais ma merguez en ruminant nos derniers pro-pos. Je m'en voulais de donner l'impression à Camil que je n'étais pas fière de moi ou pas contente de mon sort. Bien sûr que ses compliments me faisaient plaisir. Mais je réentendais aussi la conversation que j'avais eue avec la coiffeuse qui m'avait coupé les cheveux quelques semai-nes avant mon départ.

– T'écris des livres ? Vraiment ? *Geeeee...* je savais pas même qu'y avait du monde qui faisiont ça par icitte.

– Awh oui, y en a pas mal.

– Vraiment ? *Wowww...*

L'épisode fit rire Camil, qui avait le rire facile, il faut dire. On dirait que la vie le chatouillait toujours quelque part.

– Ben oui. C'est vrai que des fois ça vole pas haut. Même que ça écrase.

Il commanda deux autres verres de vin, puis ajouta :

– Pourquoi c'est que tu crois que j'ai changé mon nom ? Pour être différent. Mais j'suis pas un bon exemple, j'aurais dû aller ben plus loin.

Il leva son verre, invita le mien, prononça le toast :

– À Steppette !

Puis, des lieux se mirent à surgir d'eux-mêmes. Comme allant de soi. Ils lui traversaient l'esprit, rapidement, tel un éclair au-dessus d'un paysage, sans rompre aucune logique, mais laissant entrevoir d'autres réalités. Hans ne voulut pas trop fixer son attention sur ces percées soudaines. Il craignait de les voir fuir en y pensant trop. Il ne voulait même pas trop les attendre. Pour lui l'attente avait quelque chose d'aveuglant ; elle le propulsait dans un monde autre et l'empêchait de goûter à celui-ci. Tout cela, et plus encore sans doute, fit qu'il se retrouva un jour dans un avion pour San Francisco. Même à bord de l'avion, sa destination avait quelque chose d'irréel et d'immatériel. Elle n'avait pour toute contenance qu'une certaine idée qu'il se faisait de la lumière, de la couleur. À vrai dire, ce n'était même pas une idée. C'était plutôt comme une sensation, peut-être même un parfum, ou un souffle. Un souffle de lumière et de couleur. C'était ça. Un souffle de lumière et de couleur l'interpellait. C'était tout ce qu'il savait. Mais c'était suffisant. C'était même beaucoup.

On ne nous attribua pas des places côte à côte, à Camil et moi, pour la dernière partie de notre voyage, le vol qui nous ramenait de Montréal à Moncton. Tout s'était telle-

ment bien déroulé depuis notre départ que ce fut là un désa-
grément bien mineur. Je me retrouvai donc assise à côté
d'une femme de Painsec, une fonctionnaire de l'assurance-
emploi qui venait de participer à un atelier en formation
de la main-d'œuvre à Ottawa. Je compris à quelques-unes
de ses allusions qu'elle n'aimait pas tellement voyager et
qu'elle avait trouvé longs ces quelques jours loin de la
maison.

– Un temps passé, on voyageait beaucoup. Mon mari
était *trucker* et on partait pour deux ou trois semaines à la
fois. On aimait ça. On allait partout, en Ontario, aux
États. J'ai quasiment fait le tour des États.

– ...

– Après ça, quand moi je pouvais pus y aller à cause
des enfants, y a commencé à emmener les enfants. Chacun leu' tour. C'était quasiment la seule façon qu'y
pouviont voir leu' père.

– ...

– Pis là on s'est acheté une maison, pis mon mari a
ouvert un *truck stop*. Les enfants sont grands, asteure. Le
plus vieux travaille avec lui.

– ...

– J'suis ben chez nous. Le plus jeune joue au hockey. Y
s'organisont pour aller jouer dans un tournoi en Suisse.
Moi, ça m'énerve. Je peux pas imaginer ça. Je peux pas
m'imaginer quitter le pays. Brrrr...

24

L'émission de *Bouillon de culture* à laquelle j'avais participé ne fut diffusée que deux semaines plus tard au Canada, au réseau TV5. J'étais donc de retour chez moi pour recevoir en direct les commentaires sur ma performance. Ainsi, le lendemain de la retransmission, Marie m'expliqua que la sonnerie du téléphone l'avait arrachée à son appareil pendant un petit moment vers la fin de l'émission.

– C'était mon mari. J'y ai presque accroché la ligne au nez. Ça fait que j'ai pas dû manquer grand-chose.

Lorsqu'elle était revenue s'asseoir, Bernard Pivot terminait son questionnaire aux invités.

– Et quand vous mourrez, si Dieu existe, qu'aimeriez-vous l'entendre vous dire, à vous, France Daigle ?

Comme je connaissais le questionnaire, j'avais eu le temps de préparer ma réponse.

– J'aimerais qu'il me dise : « Pour une agoraphobe, vous vous êtes débrouillée pas pire. Je vous ai gardé une place près de la porte, pour que vous vous sentiez libre de partir, si jamais. »

Et Bernard Pivot de me relancer :

– Parce que vous pensez que même au ciel, vous pourriez avoir envie de partir ? C'est vrai que lorsque vous étiez jeune, l'enfer vous attirait : le feu, et ce motard de Satan, attendez, je cherche son nom... Chuque. Chuque Bernard. Il a vraiment existé ?

– Oui, Chuck vit encore à Dieppe. Il s'est assagi quelque peu, et porte maintenant des lunettes qui ressemblent en tous points aux vôtres.

Ce soir-là, Carmen s'était vêtue de sa petite robe rouge et de son blouson de cuir brun. Elle avait mis un peu plus de temps que d'habitude à se préparer. Elle s'était amusée à prendre des poses devant le miroir de la salle de bains en s'imaginant devant un photographe. Elle était joyeuse. Plus que ça. Elle était heureuse.

Quand Terry apparut dans l'entrée, au bas de l'escalier, elle vit que lui aussi en avait fait plus que d'habitude pour paraître. Il était frais rasé et parfumé. Son petit luxe. Elle ne le ferait pas attendre. C'était un grand soir de sortie et tous deux étaient fin prêts pour l'occasion.

Ils avaient choisi un salon de billard un peu à l'écart, où ils ne risquaient pas de rencontrer trop d'amis qui pourraient les distraire de leur jeu. Ils étaient quand même disposés à se laisser distraire un peu. Cela faisait partie de la dynamique. L'un et l'autre voulaient gagner – chacun sa petite gloire personnelle –, mais il était crucial aussi d'être bon perdant. Car d'une façon ou d'une autre, ils partiraient en voyage.

Ils choisirent tout ce qu'ils purent : la table, l'éclairage, les baguettes, la musique dans la machine, le cendrier, la boisson, puis s'abandonnèrent au reste, à tout ce qu'ils ne pourraient jamais contrôler et qu'ils n'aspiraient même pas à contrôler, de toute façon.

En poudrant le bout de sa baguette, Carmen dit :

– Y a juste une autre chose.

– Quoi ?

– On sera trois.

– ...

– ...

Terry ne pouvait pas le croire.

– Tu veux dire que ç'a marché ? T'es enceinte ?

– Je croyais pas que tu le ferais.

Il plia le bras, serra le poing et tira quelque manette imaginaire du haut vers le bas en laissant sortir un *Yeesss !* solide, parfaitement maîtrisé. Ensuite, il marcha jusqu'à Carmen, qui se trouvait de l'autre côté de la table, la regarda dans les yeux un petit moment avant de lui donner un baiser sur la joue. Puis il demanda :

– Veux-tu casser ?

– Non, toi casse. Je veux que ça seye toi qui casse.

Terry regarda la table, étudia les boules dans leur rassemblement prédeltaïque, puis se tourna et revint près de Carmen.

– Faudra qu'on arrête de fumer, hein ?

– J'sais.

Deux ou trois jours après la diffusion de l'émission en Acadie, Chuck Bernard prit le téléphone.

– Allô ?

– Oui, j'aimerais de parler à France Daigle.

– C'est moi.

– France ? C'est Chuck, icitte.

– Awh, ben hallô !

– France, peux-tu croire qu'en *zappant*, l'autre soir, j'ai tombé sus toi. Je crois que ça venait de la France. Tu parlais de ton livre. J'ai juste attrapé la fin vraiment. Pis tout d'un coup, y a-ti pas c't homme-icitte qui nomme mon nom... Chuque, Chuque Bernard, tout' ben prononcé à la française.

Je riais de l'entendre.

– Oui, c'était à Paris.

– T'as été à Paris pour parler de ton livre ?

– Oui..

– *Well* ! C'est *great* ! Je crois ben qu'y va falloir que je le lise asteure. Ça m'a mis comme curieux. Où c'est qu'on peut acheter ça ?

– Ben, je voulais justement t'en apporter un.

– Awh, t'es *nice*. Pis sais-tu, j'suis manière de *proud* de toi.

– Ben marci beaucoup !

– Awh, pis tant qu'à ça, pourrais-tu m'en amener une copie d'extra. Comme ça j'en aurai une pour la maison pis une pour la shoppe. Tu sais comment j'suis *show-off*.

Camil Gaudain était loin d'être à l'article de la mort, mais il devait surveiller sa santé de près et passer régulièrement des tests de toutes sortes. À son retour de Paris, il se trouvait à l'hôpital pour un examen quand il revit Élizabeth au casse-croûte du premier étage. Il était debout près d'elle, attendant de se faire servir.

– Vous avez fait un beau voyage ?

Élizabeth regarda Camil d'un air un peu surpris.

– Vous savez pas qui j'suis. J'ai fait un voyage à Paris avec une amie y a que'ques semaines – l'écrivaine France Daigle, j'sais pas si vous la connaissez – et on vous a croisée à l'aéroport.

Élizabeth le replaça.

– Vous avez dû vous demander quoi c'est qu'on avait à vous espionner.

– Non. Pas vraiment. Mais je n'étais pas certaine de vous connaître.

– Vous voyez tellement de monde, j'imagine.

– On en voit beaucoup, oui.

– En tout cas, vous paraissiez bien.

Élizabeth fut flattée du compliment, qu'elle accepta sans trop en faire de cas.

– Merci.

– Vous n'êtes pas de Moncton...

– Je suis ici depuis presque cinq ans maintenant.

Ce renseignement étonna grandement Camil, au point de lui faire oublier complètement sa réalité.

– Vraiment ! C'est ben pour dire, tout ce qu'on manque quand on n'est pas malade.

Hans ne se pressa pas de sortir de l'aérogare de San Francisco. Depuis qu'il avait tout son temps, il s'efforçait de ne pas vivre trop vite. Il longea donc quelques couloirs en regardant ce que les boutiques avaient à offrir. Les vitrines le faisaient sourire. Il trouvait quelque chose d'attachant, quelque chose d'humain aux objets de la vie ainsi présentés. Dans une des vitrines, il remarqua un casse-tête du *Dénombrement de Bethléem* de Bruegel l'Ancien, son compatriote. Il avait souvent et longuement contemplé ce tableau jadis, et se laissa aller à regarder de nouveau les habitants affluant à l'auberge À la Couronne verte pour payer leur dû aux agents de l'empereur. Il s'arrêta encore au contenu de leurs paniers, dames-jeannes et cageots, ainsi qu'au paysan égorgeant un porc au vu et au su de tous, sa femme recueillant le sang dans un poêlon. Il réexamina ces gens au dos chargé, traversant à pied les cours d'eau gelés de bord en bord pour venir rejoindre ceux arrivés depuis un bon moment déjà, qui ont installé sur la place leurs charrettes en forme de tonneau, chargées de grain ou de vin, et qui maintenant discutent, négocient, contestent, s'échangent des nouvelles. Il revoit les poules picorant au pied de l'artisan qui fabrique et vend ses chaises devant l'auberge, ces trépieds à fond de paille qui servent aussi de traîneaux pour les enfants que les parents tirent sur la rivière gelée. Il se laisse encore toucher par la femme balayant la neige, l'homme chaussant ses patins, les enfants s'amusant à faire tourner des toupies ou à se bousculer sur la glace. Il revoit la petite foule réunie autour d'un feu, se demande à nouveau si l'on y torréfiait du blé. Il retrouve les quelques personnes assises à l'intérieur du tronc de l'arbre pas tout à fait mort, aménagé pour accueillir le surplus de voyageurs. Il n'a pas oublié qu'ici et là on pousse, on tire, on vaque à ses affaires, on construit une cabane, on charrie du bois. Dans la cour d'une petite chaumière, une paysanne se penche sur ses choux à moitié ensevelis sous la neige. Il y a aussi le chien, quelques corbeaux, puis Joseph, une longue scie sur son épaule, tirant l'âne sur lequel est assise Marie, enceinte de Jésus. Le bœuf les accompagne déjà, prêt lui aussi à rejouer le drame de la chrétienté dans ce paysage nordique du seizième siècle.

Hans entre dans la boutique, pointe le casse-tête, l'achète. Trois mille morceaux. Pendant que la vendeuse prépare la facture, les yeux de Hans tombent sur l'enfant dans son traîneau, se propulsant de lui-même vers l'avant au moyen de bâtonnets qu'il pique dans la glace. Il revoit aussi, au centre du tableau, la roue esseulée, debout, figée dans la neige et la glace. Elle a encore et toujours ses douze rayons.

    – *Thank you sir, and good luck. It's a big one.*

    – *Thank you.*

Hans sortit de la boutique, puis de l'aérogare, avec sa valise dans une main et le casse-tête dans l'autre. Il trouvera son chemin jusqu'au centre de la ville et se cherchera une chambre. Il n'y a plus que neuf petits diamants dans la pochette contre sa poitrine.

Parfois surgit en moi l'envie de faire un voyage. Seule. Un voyage pour lui-même, pour le plaisir d'être en voyage. Tout simplement. Il n'est pas rare que ce goût me vienne, mais il est rare qu'il dure. En général, cette envie de faire un voyage ne dure pas suffisamment longtemps pour que je me donne les moyens, matériels et psychologiques, surtout psychologiques, de le faire. Dernièrement, par exemple, j'ai pensé à Londres. Je pense souvent à Londres depuis que j'ai lu le recueil de nouvelles *The Real Thing* de Doris Lessing. Moi qui n'aime pas beaucoup ce genre, j'ai aimé ici l'ambiance, le dit et le non-dit, tout ce qui se greffe autour de l'heure du thé. J'aime ce principe de l'heure du thé. Et moi que les métros fragilisent, j'ai aimé faire avec madame Lessing le tour de Londres à bord de l'Underground. J'ai aimé voir à travers ses yeux les différents quartiers que l'on traverse *aboveground*. Ce livre a survécu à un récent ménage de notre bibliothèque. C'est un livre que j'aimerais relire si jamais je ne fais pas ce voyage, si jamais je ne me rends pas à Londres, ou si jamais je m'y rends.

Table des matières

AGMV
MARQUIS
Québec, Canada
1998